AF186235

1.1 Einführung der Brüche

1.1.1 Zerlegen eines Ganzen in gleich große Teile

3

1. a)

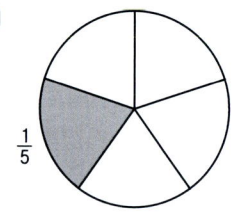 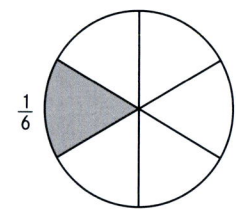 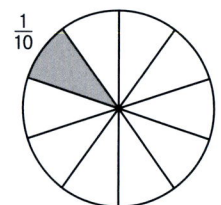 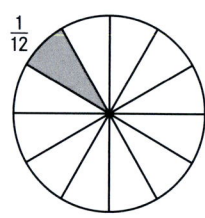

b)

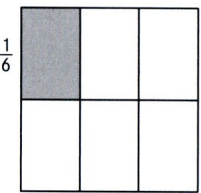 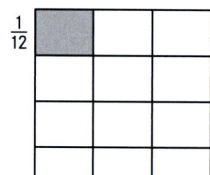 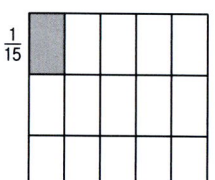 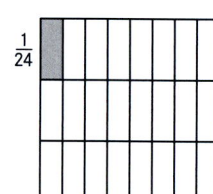

2. a)

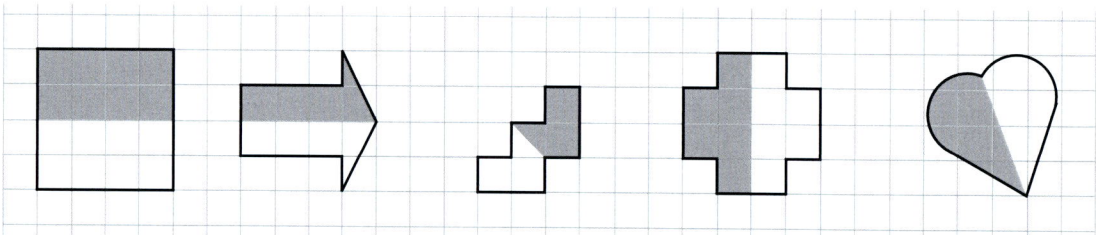

b)

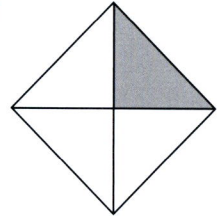 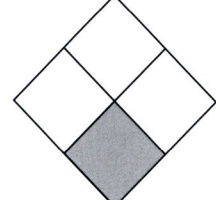 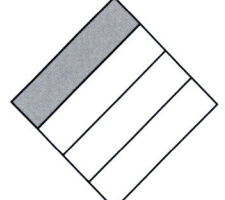 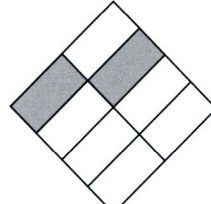

c)

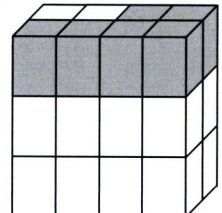  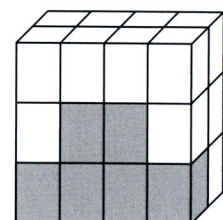 

3. a) 10 m   **b)** 200 mℓ   **c)** 125 g   **d)** 25 dm²

4

4.

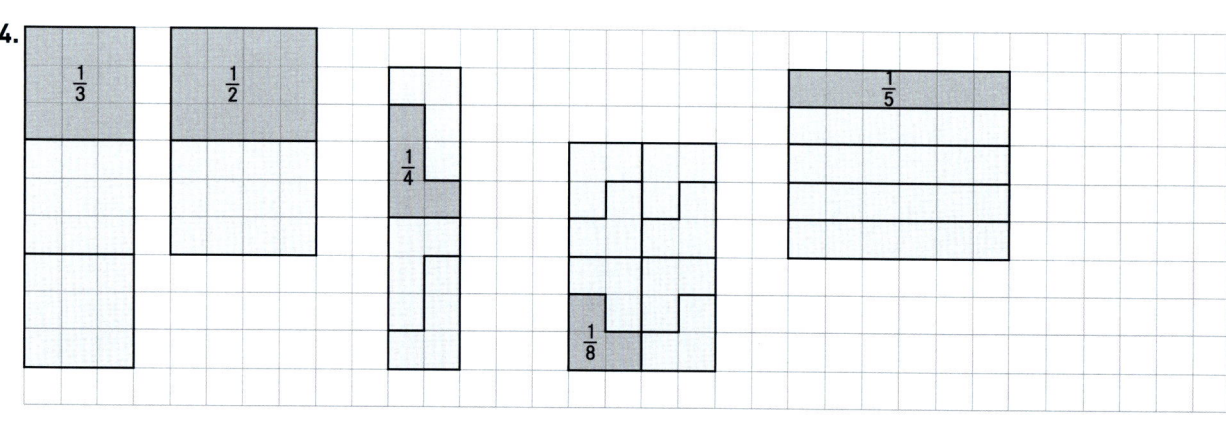

1.1.2 Anteile an einem Ganzen

4

5. a)

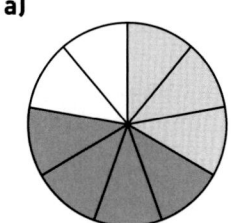 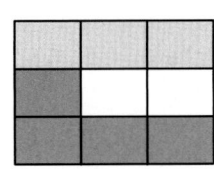

rot: $\frac{3}{9}$

blau: $\frac{4}{9}$

c)

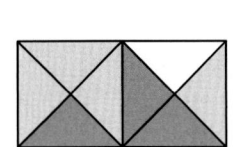 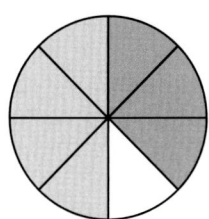

rot: $\frac{4}{8}$

blau: $\frac{3}{8}$

b)

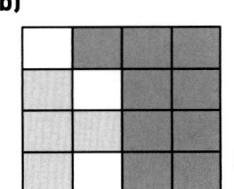 

rot: $\frac{4}{16}$

blau: $\frac{9}{16}$

d)

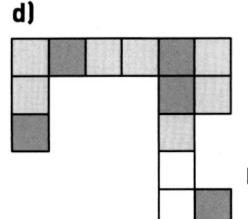 

rot: $\frac{7}{14}$

blau: $\frac{5}{14}$

6. a) $\frac{5}{10}$ **b)** $\frac{1}{4}$ **c)** $\frac{3}{4}$ **d)** $\frac{5}{6}$

 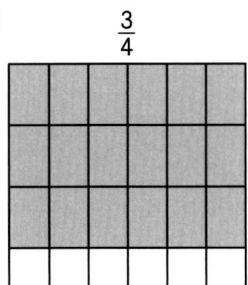 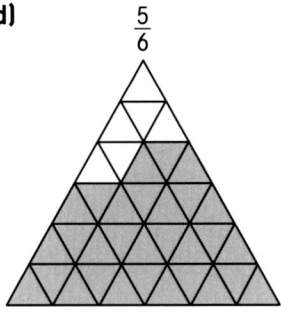

e) $\frac{2}{3}$ **f)** $\frac{3}{10}$ **g)** $\frac{1}{8}$ **h)** $\frac{1}{3}$

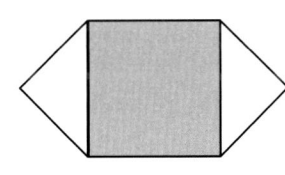 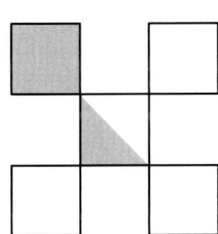 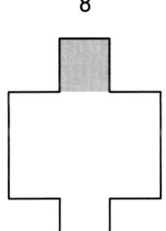 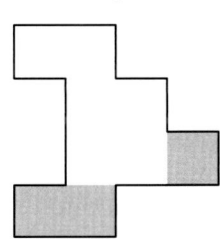

5

7. $\frac{11}{24}$ bleiben ungefärbt.

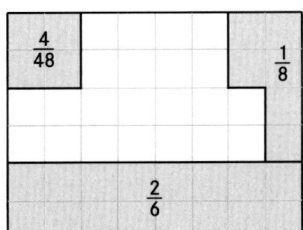

1.1.3 Unechte Brüche – Gemischte Schreibweise

5

8. Stelle mithilfe der Rechtecke dar:

a) $3\frac{4}{5}$

b) $\frac{9}{4}$

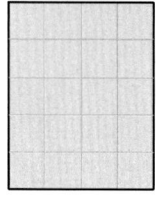  

9. a) $3\frac{3}{4} = \frac{15}{4}$ **b)** $2\frac{1}{2} = \frac{5}{2}$

10. $2\frac{3}{4}$ kg $= \frac{11}{4}$ kg

$7\frac{3}{10}$ km $= \frac{73}{10}$ km $= 7\,300$ m

$12\frac{3}{5}$ kg $= \frac{63}{5}$ kg $= 12\,600$ g

$7\frac{2}{5}$ km $= 7\,400$ m $= \frac{37}{5}$ km

$5\frac{4}{5}$ m $= 58$ dm $= \frac{29}{5}$ m

$4\frac{5}{8}$ cm$^2 = \frac{37}{8}$ cm^2

Alle anderen Angaben passen nicht zueinander.

1.2 Bruch als Quotient natürlicher Zahlen

11. 25 Kinder teilen sich 7 Liter Eis:

$7\,\ell : 25 = \frac{7}{25}\,\ell = 280\,\text{m}\ell$

5 kg Bonbons sollen an 8 Kinder verteilt werden:

$5\,\text{kg} : 8 = \frac{5}{8}\,\text{kg} = 625\,\text{g}$

Es sind noch 26 min bis zum Essen. Jedes der 4 Kinder soll bis dahin gleich lang schaukeln dürfen:

$26\,\text{min} : 4 = \frac{26}{4}\,\text{min} = 390\,\text{sec}.$

1.3 Erweitern und Kürzen

1.3.1 Brüche mit gleichem Wert – Erweitern eines Bruchs

6

12. a)

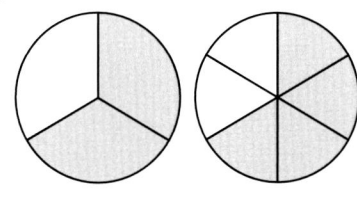

b)

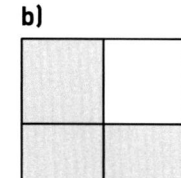 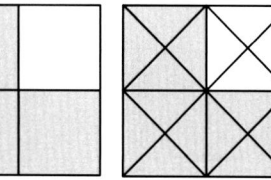

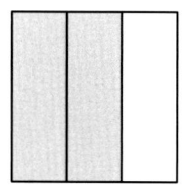 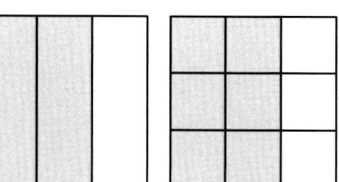

$\frac{2}{3} = \frac{4}{6}$ $\frac{3}{4} = \frac{12}{16}$ $\frac{2}{3} = \frac{6}{9}$

6

13. rot: $\frac{16}{72} = \frac{8}{36} = \frac{2}{9}$ blau: $\frac{28}{72} = \frac{14}{36} = \frac{7}{18}$ grün: $\frac{12}{72} = \frac{6}{36} = \frac{1}{6}$ gelb: $\frac{8}{72} = \frac{4}{36} = \frac{1}{9}$

14. a) $\frac{3}{7} = \frac{9}{21} = \frac{15}{35} = \frac{36}{84}$ **b)** $\frac{6}{11} = \frac{18}{33} = \frac{30}{53} = \frac{72}{132}$ **c)** $\frac{17}{21} = \frac{51}{63} = \frac{85}{105} = \frac{204}{252}$

1.3.2 Kürzen eines Bruches

15. a)   **b)**

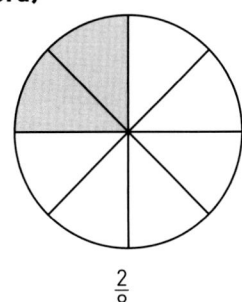 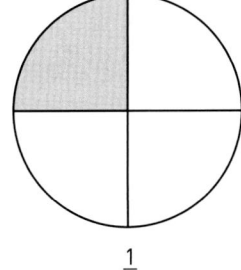   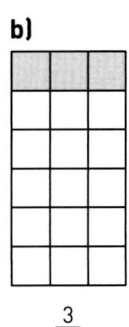 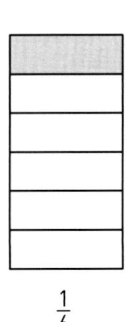 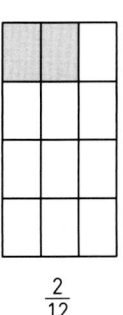

$\frac{2}{8}$ $\frac{1}{4}$ $\frac{3}{18}$ $\frac{1}{6}$ $\frac{2}{12}$

Es fällt auf, dass immer der gleiche Anteil am Ganzen gefärbt wird.

16. a) $\frac{4}{12} = \frac{2}{6} = \frac{1}{3} = \frac{8}{24} = \frac{16}{48} = \dots$ **b)** $\frac{12}{36} = \frac{4}{12} = \frac{1}{3} = \frac{24}{72} = \dots$ **c)** $\frac{6}{15} = \frac{2}{5} = \frac{12}{30} = \frac{24}{60} = \frac{18}{45} = \dots$

7

17. $\frac{15}{25} = \frac{3}{5}$

$\frac{54}{99} = \frac{6}{11}$

$\frac{108}{81} = \frac{12}{9}$

$\frac{28}{48} = \frac{7}{12}$

$\frac{21}{39} = \frac{7}{13}$

$\frac{21}{49} = \frac{3}{7}$

$\frac{52}{91} = \frac{4}{7}$

$\frac{98}{196} = \frac{7}{14}$

$\frac{102}{119} = \frac{6}{7}$

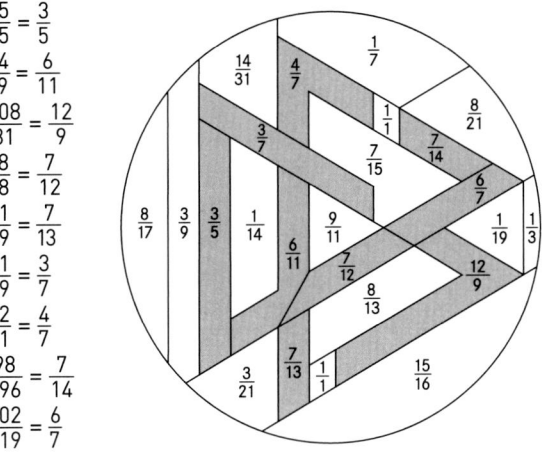

Es ergibt sich das Wappen des DFB.

1.4 Anteile bei beliebigen Größen – Drei Grundaufgaben

1.4.1 Bestimmen eines Teils von einer Größe

18.

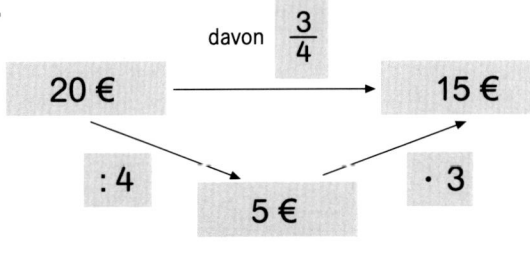

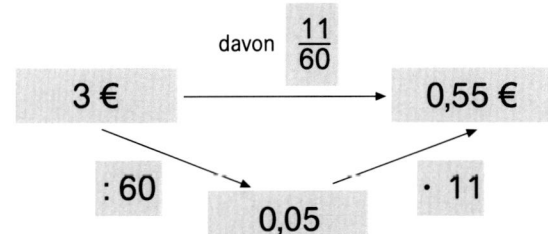

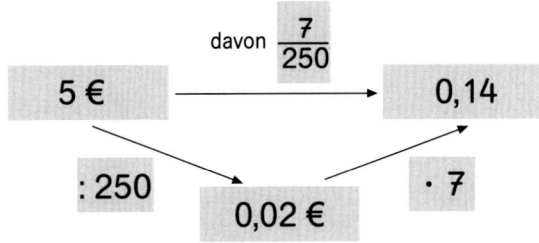

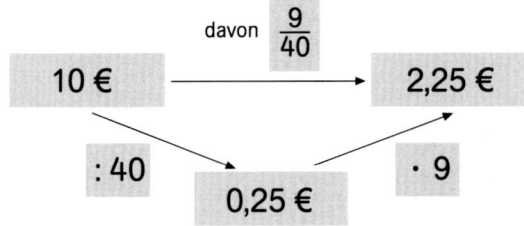

8   **19. a)**

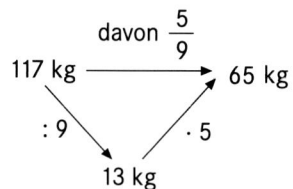

b)

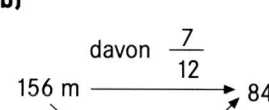

c)

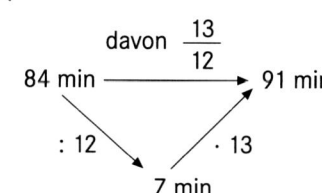

d)

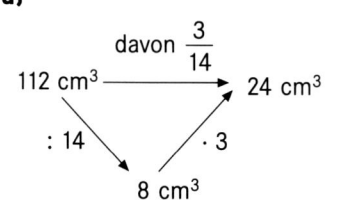

e)

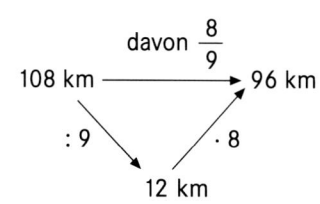

f)

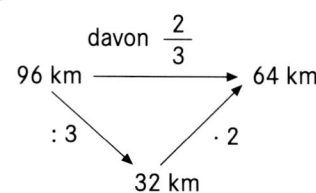

1.4.2 Bestimmen des Ganzen

20.

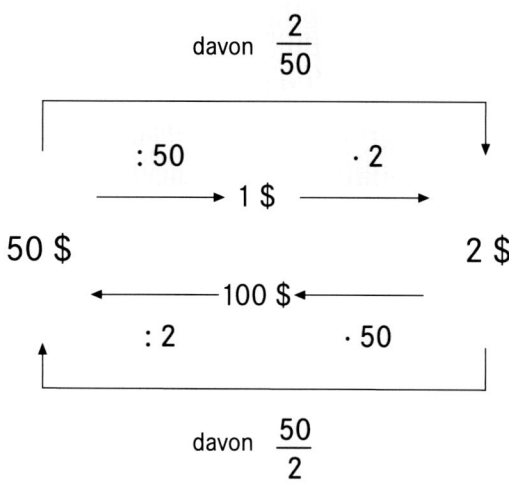

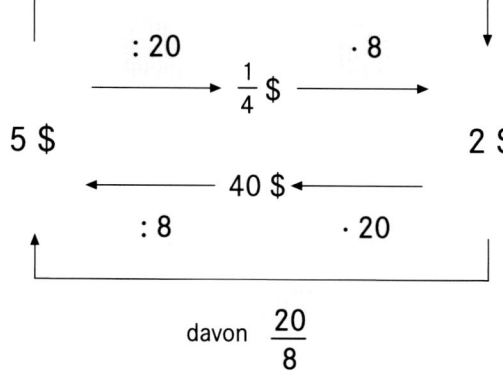

9   **21. a)**

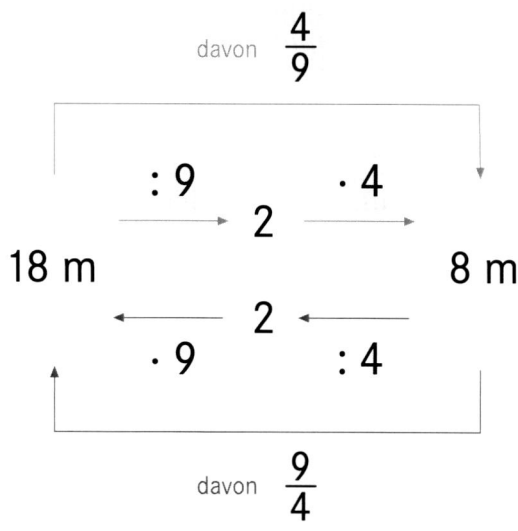

b)

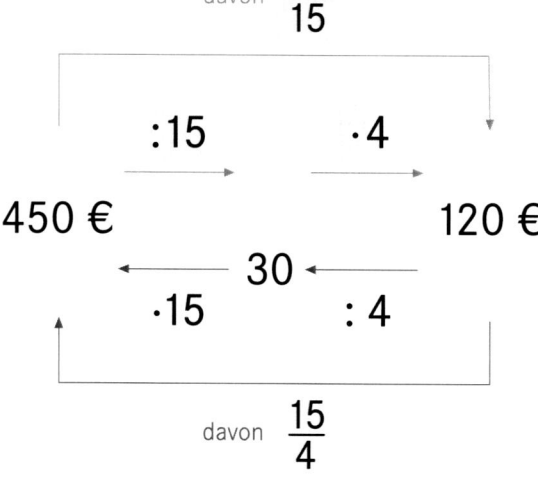

1.4.3 Bestimmen des Anteils

9

22.a) davon $\frac{1}{4}$

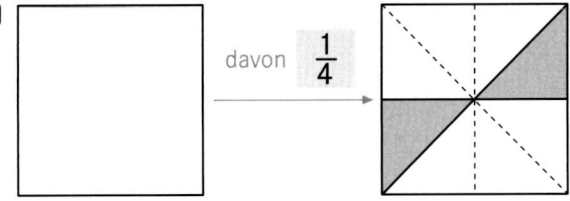

c) davon $\frac{1}{4}$

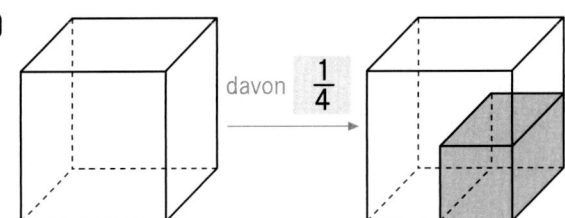

b) davon $\frac{1}{16}$

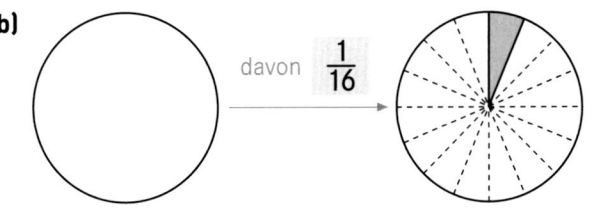

d) davon $\frac{1}{4}$

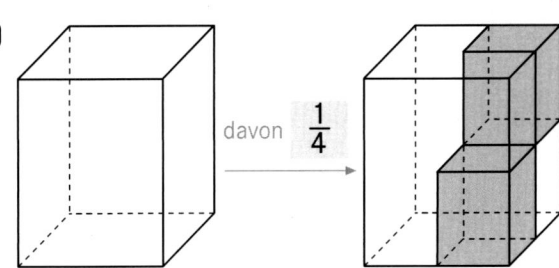

23.a)

10 min $\xrightarrow{: 10}$ 1 min $\xrightarrow{\cdot\,3}$ 3 min

davon $\frac{3}{10}$

c)

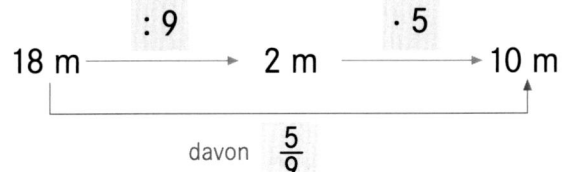

18 m $\xrightarrow{: 9}$ 2 m $\xrightarrow{\cdot\,5}$ 10 m

davon $\frac{5}{9}$

b)

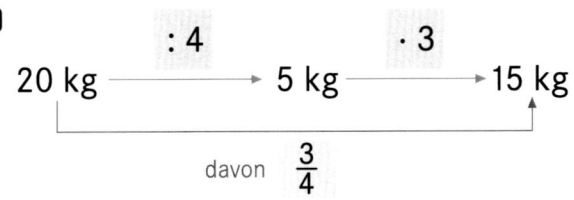

20 kg $\xrightarrow{: 4}$ 5 kg $\xrightarrow{\cdot\,3}$ 15 kg

davon $\frac{3}{4}$

d)

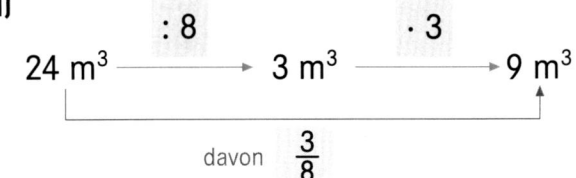

24 m³ $\xrightarrow{: 8}$ 3 m³ $\xrightarrow{\cdot\,3}$ 9 m³

davon $\frac{3}{8}$

10 **24.a)** Tim: 꿰 꿰 꿰 |||
Mareike: 꿰 |
Philipp: 꿰
Juliane: 꿰 ||

b) $\frac{8}{26} = \frac{4}{13}$

c) $\frac{6}{26} = \frac{3}{13}$

d) $\frac{12}{26} = \frac{6}{13}$

1.4.4 Angabe von Anteilen in Prozent

25.a) $25\% = \frac{25}{100}$ **b)** $37\% = \frac{37}{100}$ **c)** $55\% = \frac{55}{100}$ **d)** $76\% = \frac{76}{100}$

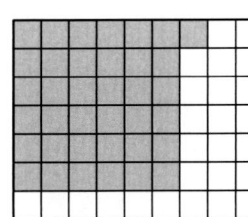

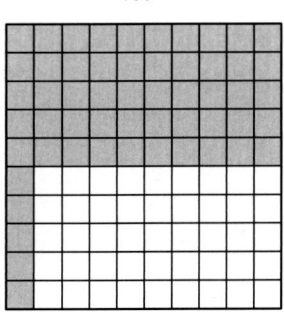

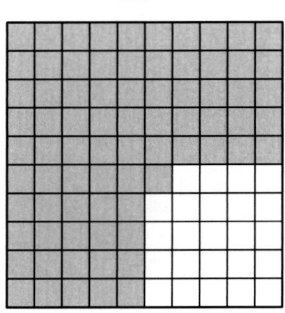

Gelb: $\frac{75}{100} = 75\%$ $63\% = \frac{63}{100}$ $\frac{45}{100} = 45\%$ $24\% = \frac{24}{100}$

10 **26.a)** z. B

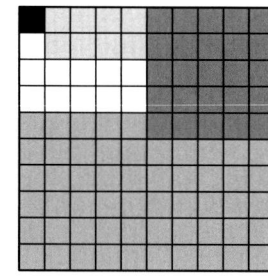

b) $\frac{3}{10} = 30\,\%$ $\frac{1}{20} = 5\,\%$ $\frac{10}{25} = 40\,\%$ $\frac{1}{4} = 25\,\%$

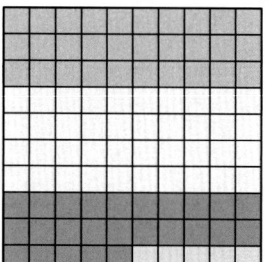

Es bleiben 0–15 % ungefärbt.

Bist du kompetent im Umgang mit Zahlen und Operationen Umgang mit Brüchen **?**

11 **27.**

Uhrzeit	Zeit bis 12:00 Uhr [in Stunden]	Zeit bis 12:00 Uhr [in Minuten]	Zeit bis 12:00 Uhr [in Sekunden]
8:20 Uhr	$3\frac{2}{3}\,\text{h} = \frac{11}{3}\,\text{h}$	220 min	13 200 sec
viertel vor 8	$4\frac{1}{4}\,\text{h} = \frac{17}{4}\,\text{h}$	255 min	15 300 sec

28.a) $\frac{8}{12} = \frac{2}{3} = \frac{10}{15}$ **b)** $\frac{24}{60} = \frac{4}{10} = \frac{40}{100}$ **c)** $\frac{85}{625} = \frac{17}{125} = \frac{136}{1000}$

29.a) $\frac{31}{7} = 4\frac{3}{7}$ **b)** $\frac{83}{11} = 7\frac{6}{11}$ **c)** $7\frac{3}{13} = 5\frac{8}{13}$ **d)** $\frac{115}{17} = 6\frac{13}{17}$

30.a), b), c) falsch   **d)** wahr

31. a)

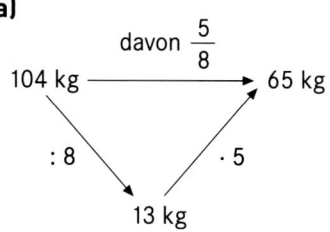

b)

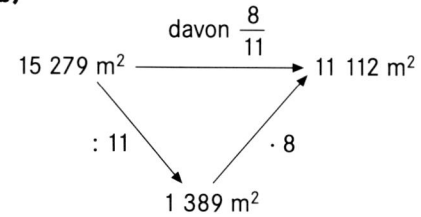

32. Fußgänger: $\frac{3}{14}$

Radfahrer: $\frac{13}{28}$

Busfahrer: $\frac{2}{7}$

Eltern: $\frac{1}{28}$

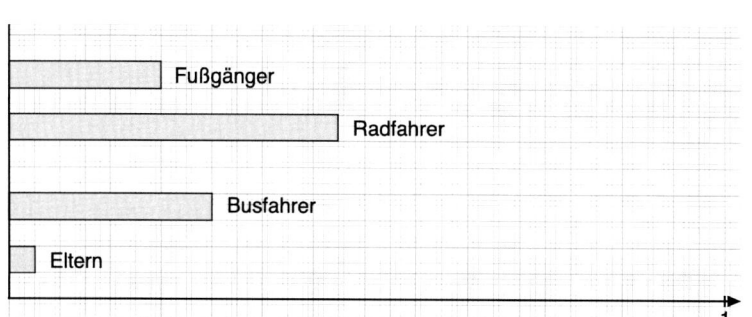

2.1 Mischungs- und Teilungsverhältnisse

12   **1.** *Beispiele:*

a) 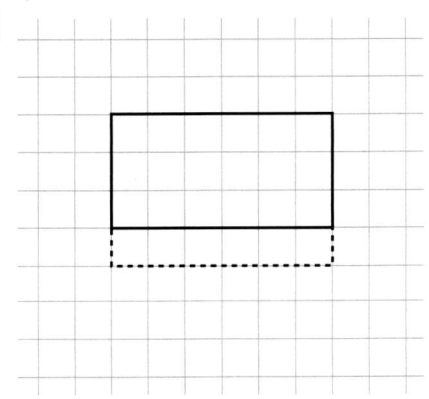   **b)**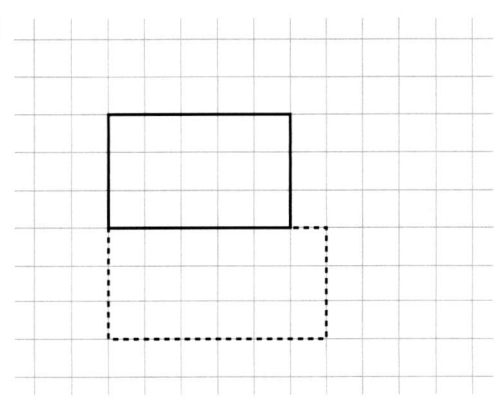

2. a) Es wird 500 mℓ Farbe benötigt.   **b)** Blau hat einen Anteil von $\frac{3}{5}$ = 60 %.

3. Möglichkeit 1: 1 ℓ Wasser und 4 ℓ Easyclean;
Möglichkeit 2: 0,5 ℓ Wasser und 4,5 ℓ Easyclean;
Möglichkeit 3: $\frac{1}{3}$ ℓ Wasser und $4\frac{2}{3}$ ℓ Easyclean.

2.2 Zahlenstrahl – Gebrochene Zahlen

4. a)

b)

13   **5. a)** $\frac{3}{2} = 1\frac{1}{2}$ **b)** $\frac{5}{4} = 1\frac{1}{4}$ **c)** $\frac{7}{4} = 1\frac{3}{4}$ **d)** $\frac{5}{2} = 2\frac{1}{2}$ **e)** $\frac{10}{4} = 2\frac{2}{4}$ **f)** $\frac{16}{4} = 4$

g) $\frac{15}{8} = 1\frac{7}{8}$ **h)** $\frac{27}{8} = 3\frac{3}{8}$

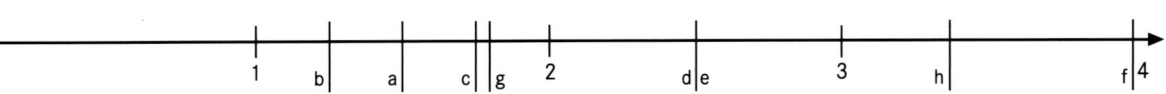

2.3 Ordnen von gebrochenen Zahlen

6.

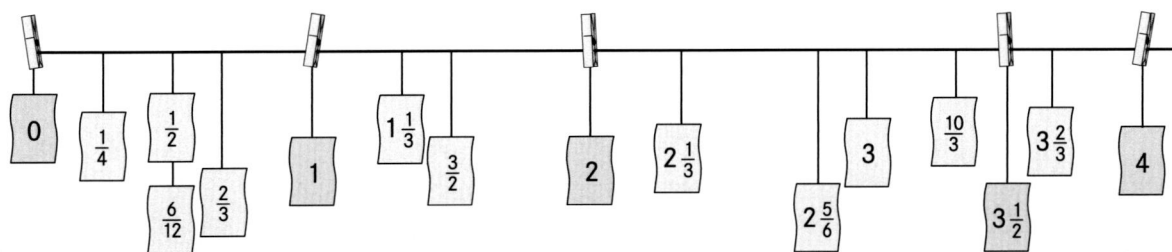

7. a) wahr   **b)** falsch   **c)** falsch   **d)** wahr   **e)** wahr   **f)** falsch   **g)** wahr   **h)** wahr

13   **8. a)** <   Begründung: $\frac{4}{5} = \frac{24}{30} < \frac{25}{30} = \frac{5}{6}$ Der Zählervergleich führt zur Lösung.

    b) >   Begründung: $\frac{5}{4} = \frac{10}{8} > \frac{7}{8}$ Auch hier führt der Zählervergleich zur Lösung.

    c) <   Begründung: $\frac{5}{12} = \frac{20}{48} < \frac{27}{48} = \frac{9}{16}$ Auch hier führt der Zählervergleich zur Lösung.

2.4 Addieren und Subtrahieren von gebrochenen Zahlen

9. a)   **b)**   **c)**

   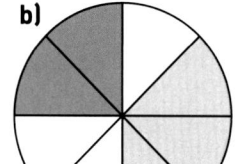   

$\frac{3}{10} + \frac{2}{5} = \frac{7}{10}$ $\frac{1}{4} + \frac{3}{8} = \frac{5}{8}$ $\frac{4}{9} + \frac{1}{3} = \frac{7}{9}$

14   **10. a)** (1), (9)   **b)** (5), (6), (7)

11. Blau + Rot: $\frac{1}{15} + \frac{7}{30} = \frac{9}{30}$ Grün + Gelb: $\frac{1}{3} + \frac{4}{15} = \frac{3}{5}$

    Grün – Gelb: $\frac{1}{3} - \frac{4}{15} = \frac{1}{15}$ Blau + Gelb + Rot: $\frac{1}{15} + \frac{4}{15} + \frac{7}{30} = \frac{17}{30}$

    Gelb – Rot: $\frac{4}{15} - \frac{7}{30} = \frac{1}{30}$ Blau + Grün – Gelb: $\frac{2}{30} + \frac{10}{30} - \frac{8}{30} = \frac{4}{30}$

    geordnete Reihenfolge: $\frac{1}{30} < \frac{1}{15} < \frac{9}{30} < \frac{4}{30} < \frac{17}{30} < \frac{3}{5}$

12.

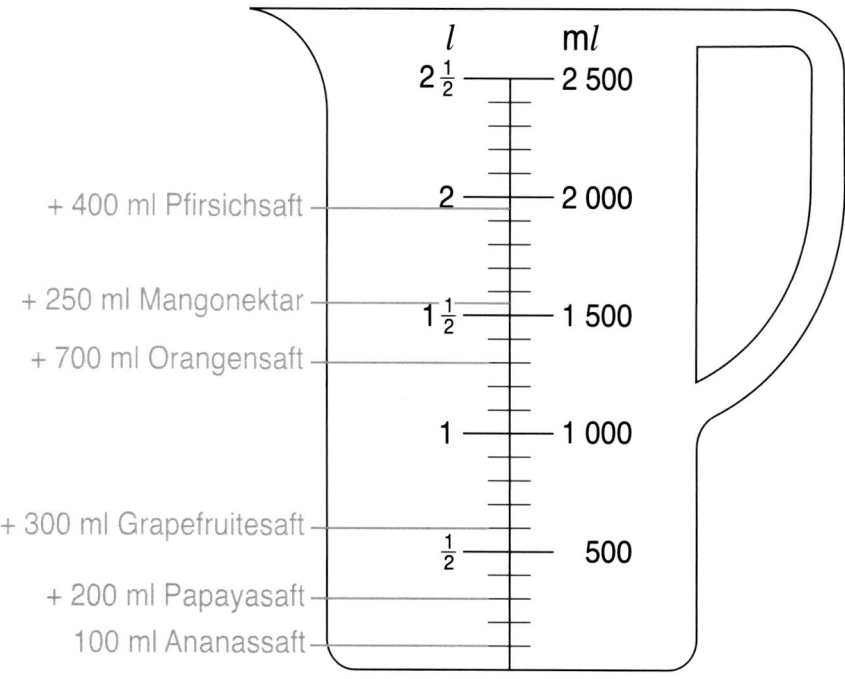

14 **13.**

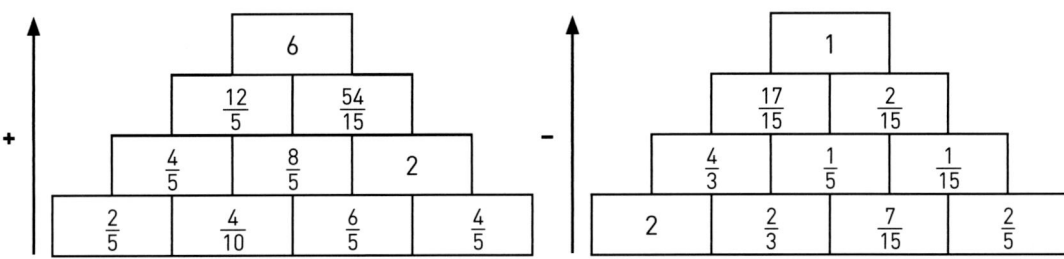

2.5 Kommutativ- und Assoziativgesetz der Addition

15 **14.**

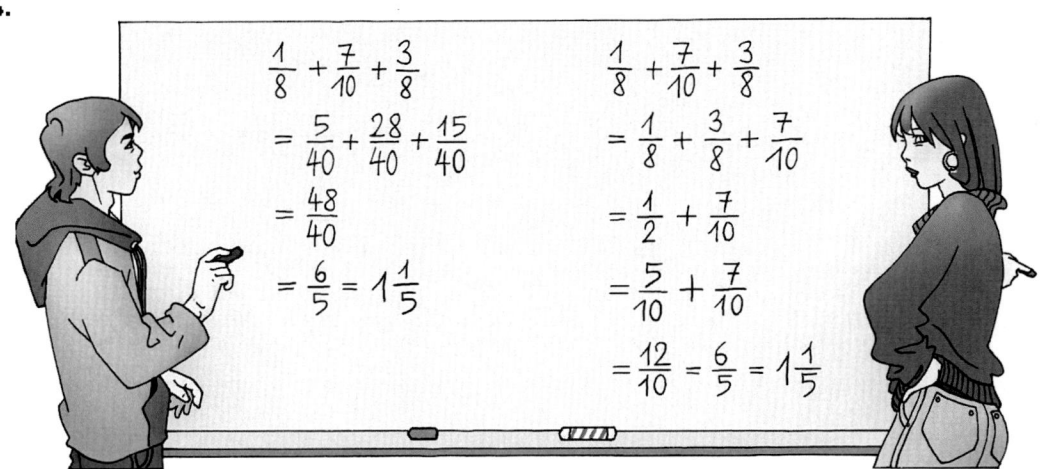

$$\frac{1}{8} + \frac{7}{10} + \frac{3}{8}$$

$$= \frac{5}{40} + \frac{28}{40} + \frac{15}{40}$$

$$= \frac{48}{40}$$

$$= \frac{6}{5} = 1\frac{1}{5}$$

$$\frac{1}{8} + \frac{7}{10} + \frac{3}{8}$$

$$= \frac{1}{8} + \frac{3}{8} + \frac{7}{10}$$

$$= \frac{1}{2} + \frac{7}{10}$$

$$= \frac{5}{10} + \frac{7}{10}$$

$$= \frac{12}{10} = \frac{6}{5} = 1\frac{1}{5}$$

Tom sollte das Kommutativgesetz verwenden und die Summanden wie in der rechten Rechnung umordnen.

2.6 Dezimale Schreibweise für gebrochene Zahlen
2.6.1 Schreibweise und Aufgabe von Dezimalbrüchen

15. a)

Aufgabe	r	f	Korrektur	Aufgabe	r	f	Korrektur
$0,26 = \frac{26}{10}$		x	$0,26 = \frac{26}{100}$	$\frac{7842}{1000} = 7,842$	x		
$\frac{76}{100} = 0,76$	x			$\frac{23}{50} = 23\%$		x	$\frac{23}{50} = \frac{46}{100} = 46\%$
$7,831 = \frac{7}{831}$		x	$7,831 = 7\frac{831}{1000}$	$5\frac{8}{100} = 5,08$	x		
$1\frac{2}{10} = 1,210$		x	$1\frac{2}{10} = 1,2$	$\frac{9}{1000} = 0,009$	x		
$0,08 = \frac{8}{10}$		x	$0,08 = \frac{8}{100}$	$30\% = 0,03$		x	$30\% = 0,3$

b) $\frac{4}{10} = 0,4 = 40\%$

16. 0,7   0,85   0,045   0,009   2,4   3,08   4,26   87,1

5,07   0,008   0,03   0,09   0,208   0,4   0,75   3,079

2.6.2 Umformen durch Erweitern und Kürzen

17. –

16 **18.**

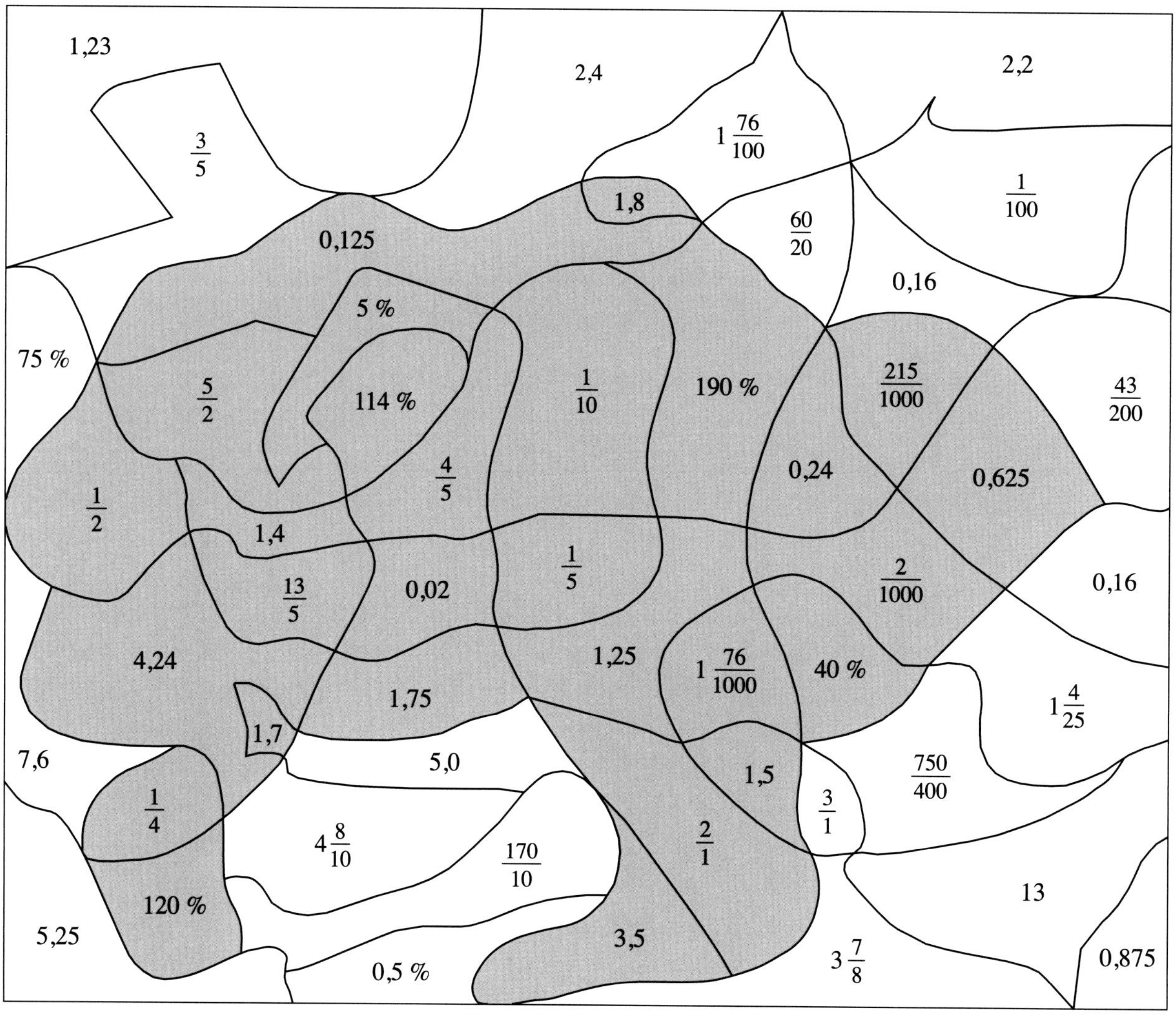

1,23

2,4

$1\frac{76}{100}$

2,2

$\frac{3}{5}$

1,8

$\frac{60}{20}$

$\frac{1}{100}$

0,125

5 %

0,16

75 %

$\frac{5}{2}$

114 %

$\frac{1}{10}$

190 %

$\frac{215}{1000}$

$\frac{43}{200}$

$\frac{1}{2}$

$\frac{4}{5}$

0,24

0,625

1,4

$\frac{13}{5}$

0,02

$\frac{1}{5}$

$\frac{2}{1000}$

0,16

4,24

1,25

$1\frac{76}{1000}$

40 %

$1\frac{4}{25}$

$\frac{1}{4}$

1,7

1,75

1,5

$\frac{3}{1}$

$\frac{750}{400}$

7,6

5,0

$\frac{2}{1}$

13

120 %

$4\frac{8}{10}$

$\frac{170}{10}$

5,25

0,5 %

3,5

$3\frac{7}{8}$

0,875

2.7 Vergleichen und Ordnen von Dezimalbrüchen

17 **19. a)**

Stelle	D	E	Z	I	M	A	L
Dezimalbruch	5,73	5,86	5,25	6,07	5,42	5,06	6,25

b) D < E   Z > A   I > D   Z < L   L > M

20. a) 2,75 > 2,57   **b)** 0,6 > 0,55   **c)** 0,356 < 0,56   **d)** 0,05 < 0,5

0,101 > 0,100   1,75 > 1,3   88,008 > 8,808   0,80 = 0,800

0,607 < 0,670   0,355 > 0,345   1,97 < 2,306   48,07 = 48,070

21.

	Weite	Name	Jahr	Land
1.	104,80	Hohn	1984	DDR
2.	99,72	Petranoff	1983	USA
3.	98,48	Zelezny	1996	CZE
4.	89,10	Boden	1990	SWE
5.	86,74	Lievore	1961	ITA
6.	86,04	Cantello	1959	USA
7.	78,70	Nikkanen	1938	FIN
8.	62,32	Lemming	1912	SWE

In den Jahren 1983/84 wurden Rekorde aufgestellt, die bis heute nicht gebrochen sind. Trotzdem haben 1990 und 1996 Personen mit geringeren Weiten Rekorde erzielt. Eine mögliche Erklärung ist, dass es 1986 eine Regeländerung gab, die das Werfen neuer Rekorde erschwerte.

17 22.a)

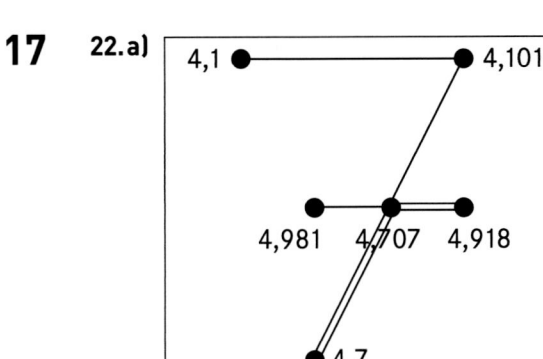

b)

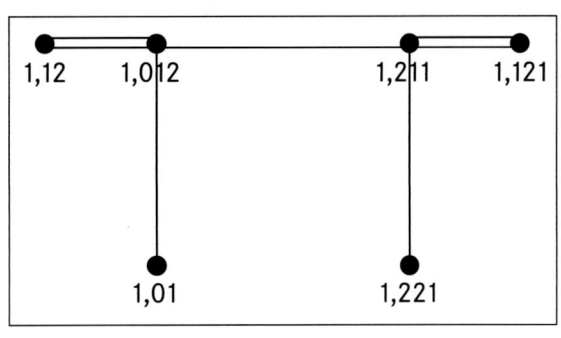

18 23.

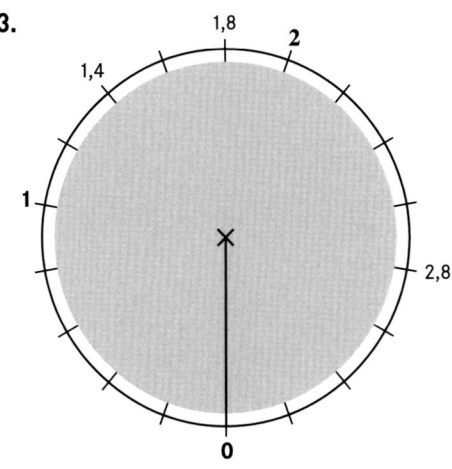

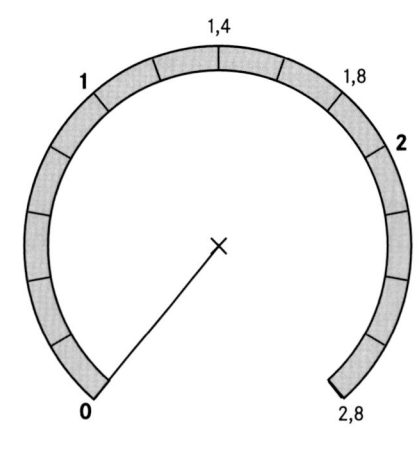

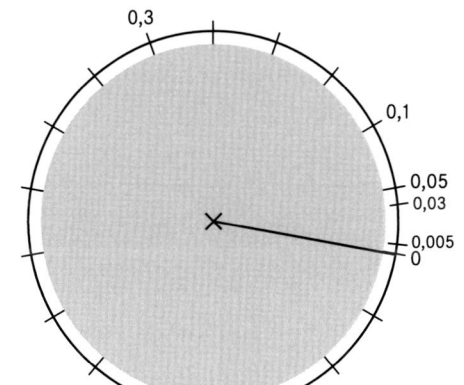

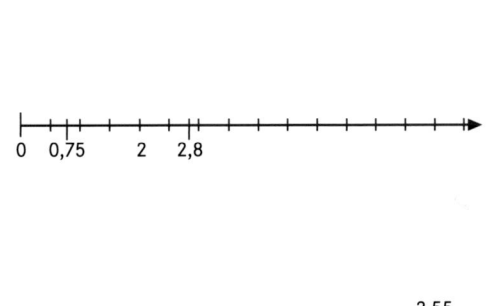

2.8 Runden von Dezimalbrüchen - Säulendiagramme

24.

	44,346 m	1067,125 m	1,734 m	0,457 m	14 577,499 m	8,517 m
Runde auf cm	44,35 m	1067,13 m	1,73 m	0,46 m	14 577,5 m	8,52 m
Runde auf m	44 m	1067 m	2 m	0 m	14 577 m	9 m
Runde auf dm	44,3 m	1067,1 m	1,7 m	0,5 m	14 577,5 m	8,5 m
Runde auf 10 m	40 m	1070 m	0 m	0 m	14 580 m	10 m

19 25. 58; 14; 29; 43; 11; 22

19   **26.** SD-Karte: 7,6 cm²; PC-Taste: 2,4 cm²; USB-Steckplatz: 0,5 cm²

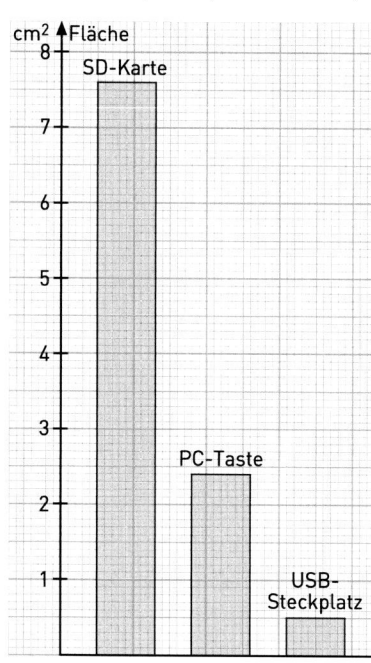

2.9   Addieren und Subtrahieren von Dezimalbrüchen

27.   **a)** 6,6   7,3   8   8,7   9,4   10,1   10,8   11,5   12,2

b) 6,6   5,9   5,2   4,5   3,8   3,1   2,4   1,7   1

c) 0,5   0,75   1   1,25   1,5   1,75   2   2,25   2,5

d) 2   1,75   1,5   1,25   1   0,75   0,5   0,25   0

20   **28.**

		Endzeit	Zeitunterschied
1.	Loch	96,375 s	
2.	Langenhan	96,659 s	+ 0,284 s
3.	Ludwig	96,825 s	+ 0,166 s

29.a) 55 + 44,4 = 99,4 oder 5,5 + 4,44 = 9,94

b) wahr; 4,42 – 1,28 = 3,14 oder 44,2 – 12,8 = 31,4

c) 8 + 2,22 = 10,22

d) 176 250 - 3125 = 173 125

e) wahr oder 3,2 + 2,5 = 5,7

f) 647 – 43,5 = 603,5

g) wahr oder: 9,2 + 10,8 = 20,0

h) 735 + 0,9 = 735,9

i) 4,2 + 12 – 2,3 = 13,9

j) 1 + 2,45 – 3,06 = 0,39 oder …

k) 7,8 + 13,75 + 101 = 122,55

l) 170,5 – 17,05 – 1,705 = 151,745

30 a)

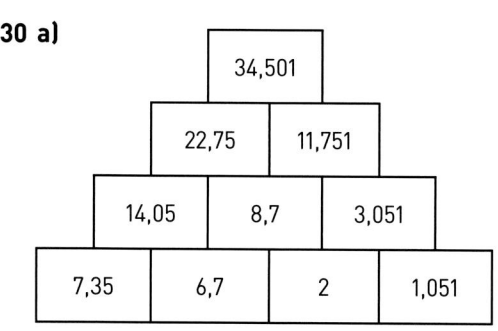

b)

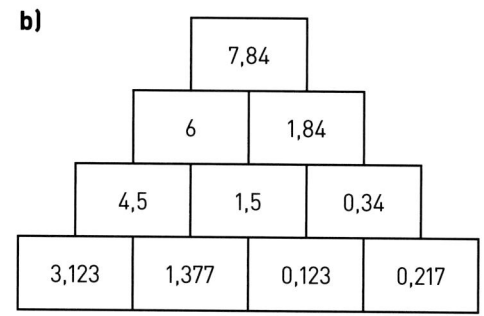

20

31. a)

```
      2 4 9 0 3
    + 9 5 7 7 9
    + 3 9 5 4 2
    + 8 4 2 2 1
      2 2 2 1 1
    ─────────────
      2 4 4 4 4 5
```

b)

```
      5 0 3,1 2
    - 1 5 6,4 2
        1  1  1
    ─────────────
      3 4 6,7 0
```

c)

```
      7 7 1 2 6 2
    - 0,0 4 0 2 0
    - 6,1 4 8 3 5
    - 1,4 1 4 5 2
          1 2 1 1
    ─────────────
      0,2 0 9 5 5
```

Die Lösung zu Aufgabenteil a) ist nicht eindeutig. Es gibt verschiedene Lösungsmöglichkeiten.

32. 1057,62 = 383,4 + 674,22   45,5 = 22,2 + 23,4   7,1 = 3,4 + 3,7   5,8 = 3,9 + 1,9

255,9 = 106,1 + 149,8   8,66 = 8,12 + 0,54   8,1 = 4,5 + 3,6   35,2 = 23,3 + 11,9

105,6 = 40,5 + 65,1   2,89 = 1,78 + 1,11

Bist du kompetent im Umgang mit Größen und Messen Angaben mit gebrochenen Zahlen?

21

33. a)

Süßwaren	Gerundete Menge	Anteil
Schokolade	10 kg	31,25 %
Zuckerwaren	6 kg	18,75 %
Feine Backwaren	7 kg	21,875 %
Knabberartikel	3 kg	9,375 %
Sonstiges	6 kg	18,75 %
Gesamtmenge	32 kg	100 %

b) 1. Addition der Mengen und dann Prozentwerte berechen:
$(7 + 3) : 32 = \frac{10}{32} = 31{,}25\,\%$

2. Addition der Prozentwerte der Tabelle:
21,875 % + 9,375 % = 31,25 %

Beide Wege führen zum gleichen Ergebnis.

34. geordnete Weiten: 2,96 m < 3,12 m < 3,12 m < 3,45 m < 4,23 m < 4,32 m

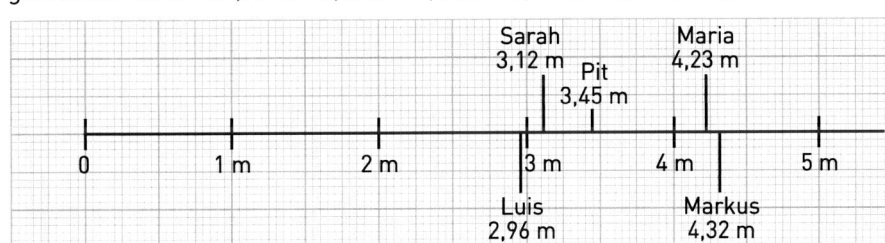

35. a)   **b)**   **c)**

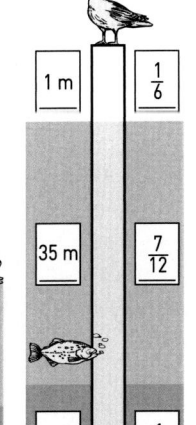

zu c) Ein Stab zur Höhenmessung wird 1,5 m in den Boden eines Sees gegraben. $\frac{7}{12}$ seiner Länge sind unter, 1 m über Wasser.

3.1   Halbgerade – Winkel

22   **1. a)**

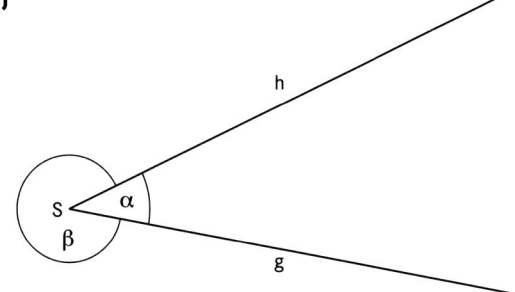

b) Winkel werden in der Regel gegen den Uhrzeigersinn abgetragen. Liegt die Gerade g der Konstruktion zu Grunde, so entsteht der Winkel α. Liegt die Gerade h zu Grunde, so entsteht der Winkel β.

2.

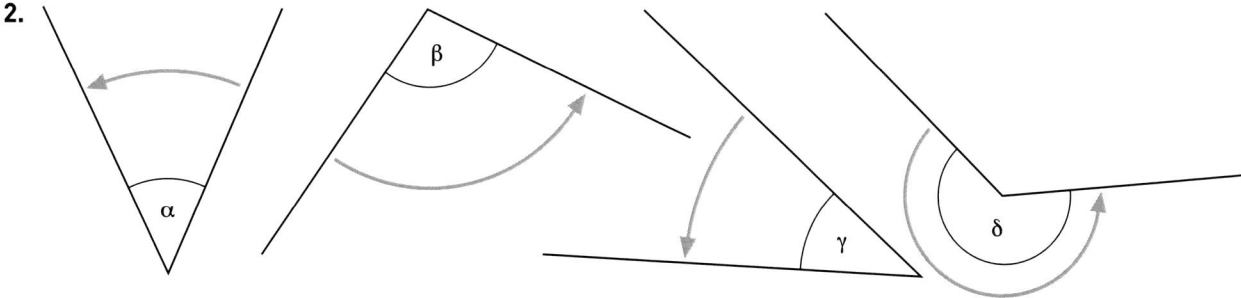

3.

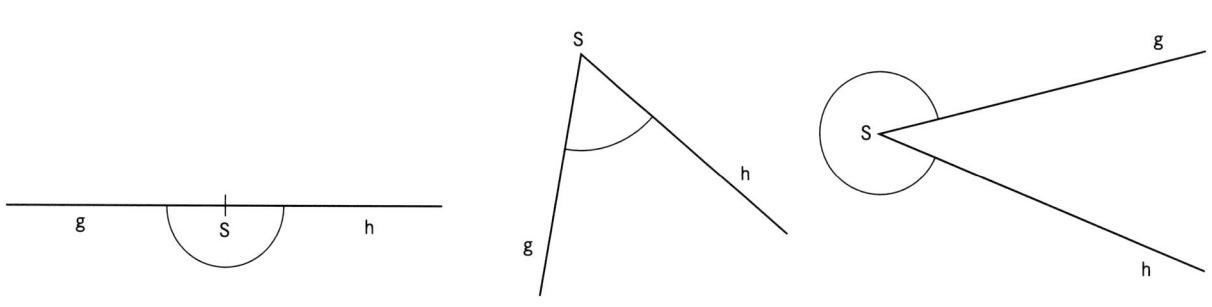

3.2   Messen von Winkeln – Winkelarten

4.

Bild (1)	Bild (2)	Bild (3)	Bild (4)	Bild (5)	Bild (6)
spitzer Winkel	gestreckter Winkel	überstumpfer Winkel	rechter Winkel	stumpfer Winkel	Vollwinkel
$0° < α < 90°$	$α = 180°$	$180° < α < 360°$	$α = 90°$	$90° < α < 180°$	$α = 360°$

23   **5. a)**

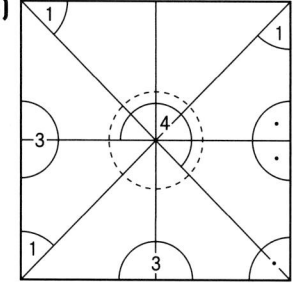

1   spitzer Winkel

·   rechter Winkel

4   überstumpfer Winkel

3   gestreckte Winkel

⟨⟩   Vollwinkel

b) –

6. –

23 **7. a)** Der Kreis ist in <u>360</u> Teile eingeteilt. Der dazugehörige Vollwinkel beträgt <u>360°</u>. Ein Teilstrich ist deshalb: <u>1°</u>.

b) Es bleibt ein Winkel von 60° übrig.

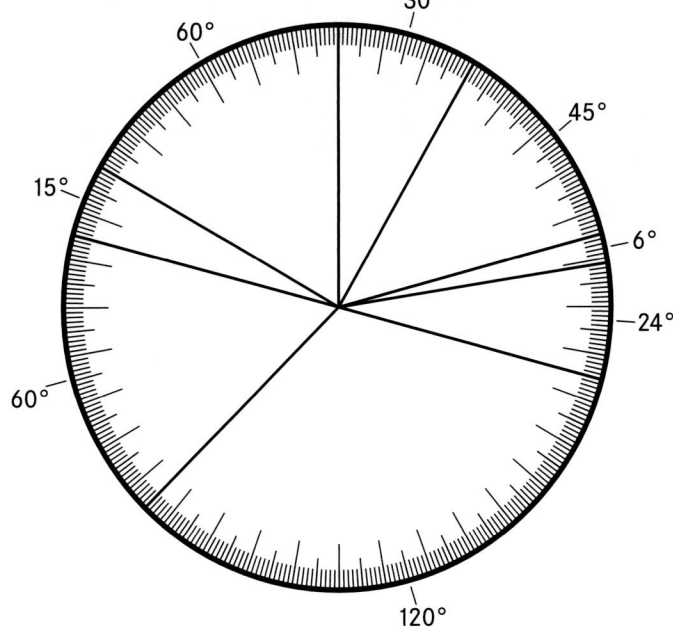

24 **8. a)** 1-2-4, 1-2-7, 4-2-7, 7-2-8, 8-2-9, 9-2-6, 9-2-3, 6-2-3, 4-2-8, 8-2-6, 7-2-9, 7-2-6, 4-2-9

b) 1-2-8, 8-2-3, 4-2-6

c) 1-2-3

d) 7-2-3 (1-2-9), 4-2-3 (1-2-6)

9. –

10. –

11. Es handelt sich um die Zeiger einer Uhr.

3.3 Zeichnen von Winkeln

25 **12.** Biene A: Wabe 1; Biene B: Wabe 9; Biene C: Wabe 3; Biene D: Wabe 7

3.4 Achsensymmetrie – Spiegeln an einer Geraden

3.4.1 Achsensymmetrie

26 **13.**

26 **14.**

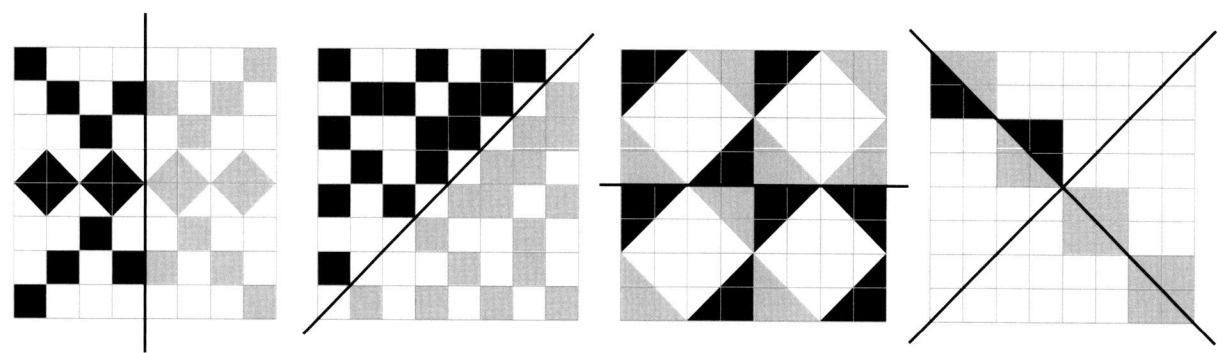

15. a) Saardom: Bruder, da der linke Turm z. B. andere Fenster hat.
Meissen-Dom: Zwillinge, da die beiden Türme sich spiegelbildlich nicht unterscheiden.

  b) –

  c) –

  d) –

3.4.2 Spiegeln an einer Geraden

27 **16.**

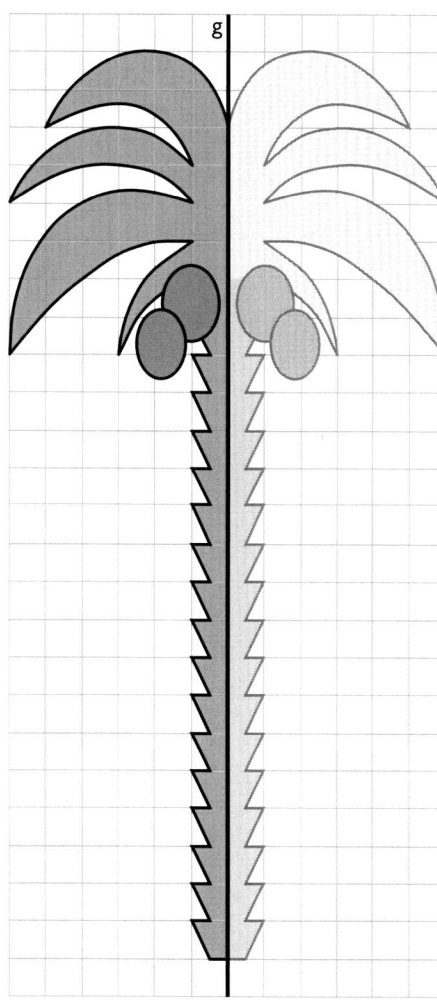

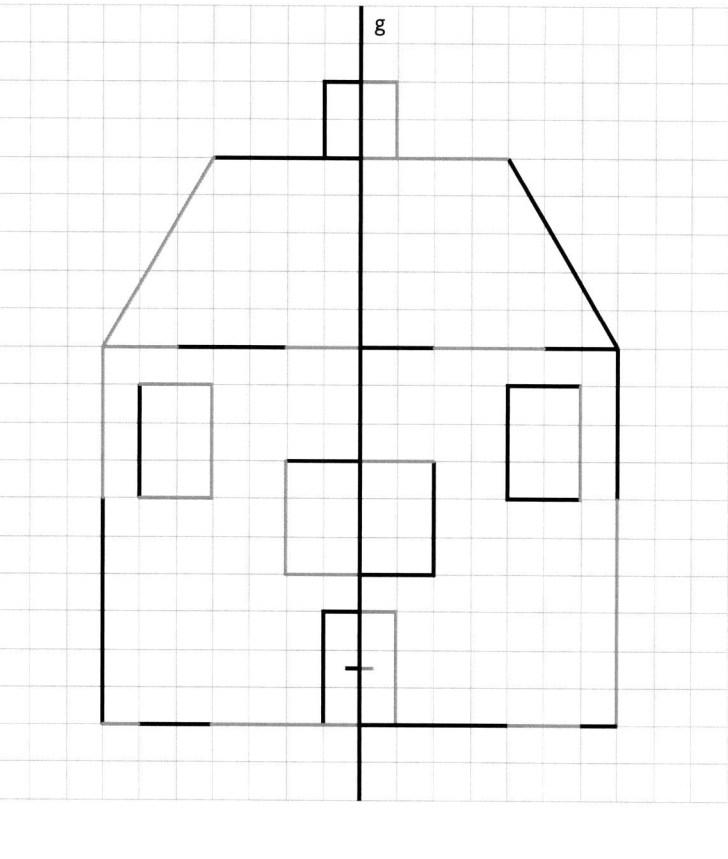

27   **17. a)** bis **c)**

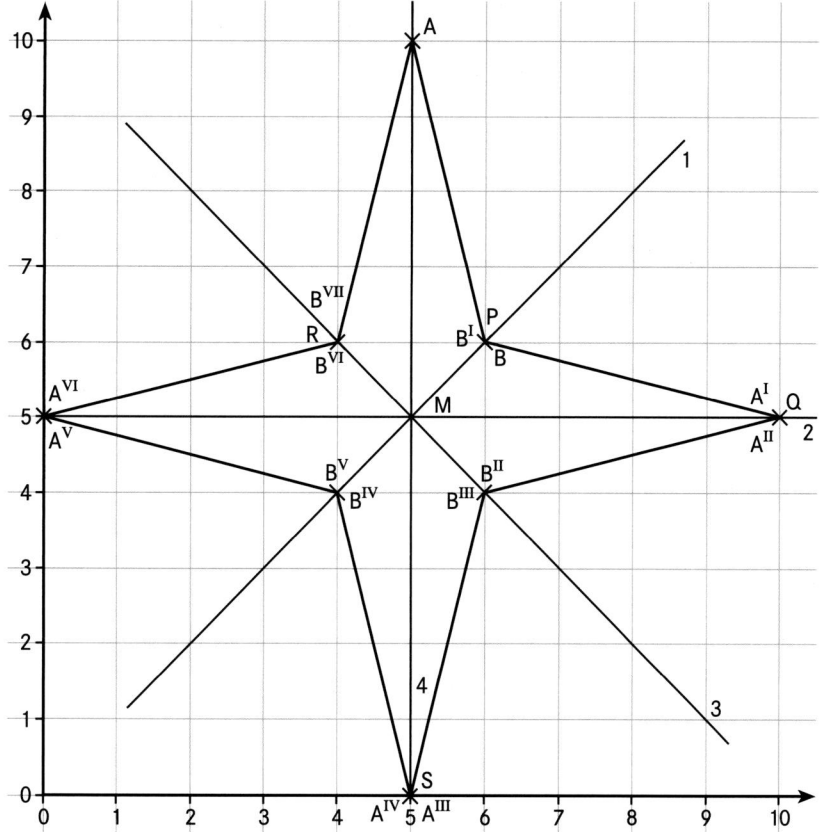

Es entsteht ein Stern.

d) A (5|10), R = B^{VI} = B^{VII} (4|6), A^V = A^{VI} (0|5), B^{IV} = B^V (4|4),

S = A^{III} = A^{IV} (5|0), B^{II} = B^{III} (6|4), A^I = A^{III} (10|5), P = B = B^I (6|6)

3.4.3 Eigenschaften der Achsenspiegelung

28   **18. a)** und **b)**

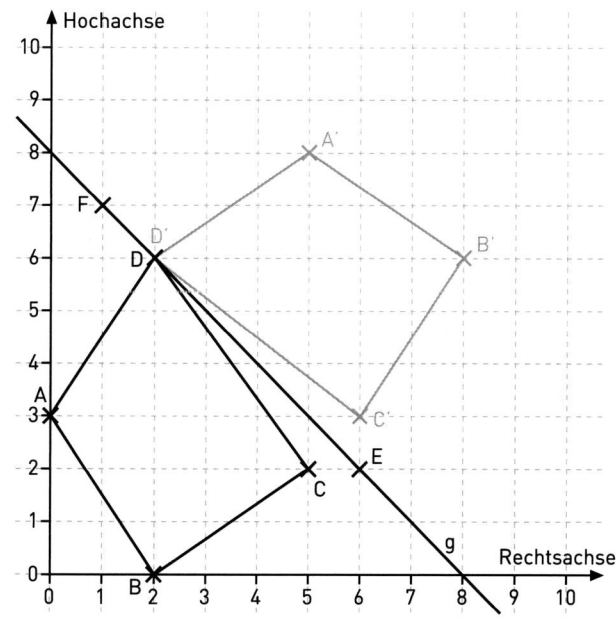

c) |AB| = 2,5 |A'B'| = 2,5   α = 112,6°   α' = 112,6°

|BC| = 2,1 |B'C'| = 2,1   β = 90°   β' = 90°

|CD| = 4,7 |C'D'| = 4,7   γ = 86,8°   γ' = 86,8°

|AD| = 2,5 |A'D'| = 2,5   δ = 70,6°   δ' = 70,6°

28   **19.**

Ziehe für zwei beliebige Punkte des linken Vielecks jeweils eine Strecke zum jeweiligen Spiegelpunkt. Bestimme den Mittelpunkt der Strecken und lege hierdurch eine senkrechte Gerade. Dies ist die Spiegelachse.

20. a)

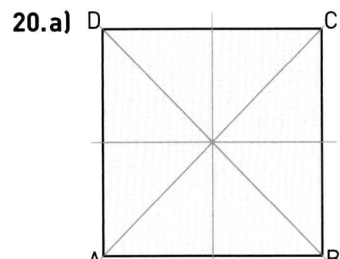

b) Die Linien durch AC bzw. BD sind Winkelhalbierende, die anderen beiden sind Mittelsenkrechte.

3.5   Punktsymmetrie – Spiegeln an einem Punkt

29   **21.**

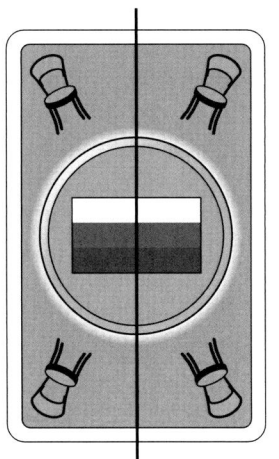

Punktsymmetrisch: Karten 1, 2 und 4   Achsensymmetrisch: Karten 1, 2, und 3

29   **22.** a)   b)   c)

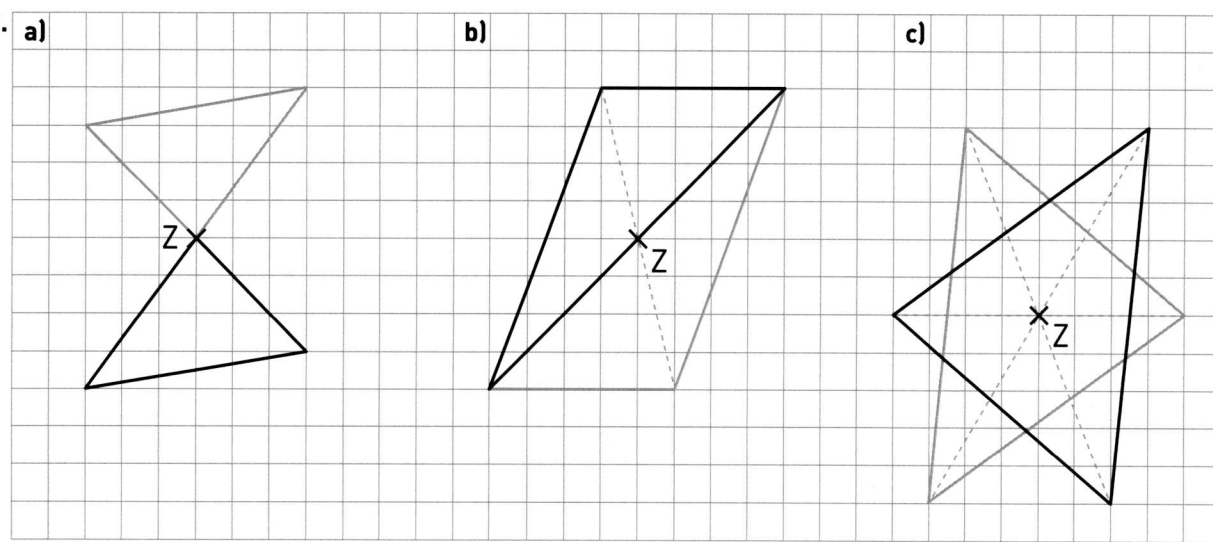

23. a)   b)

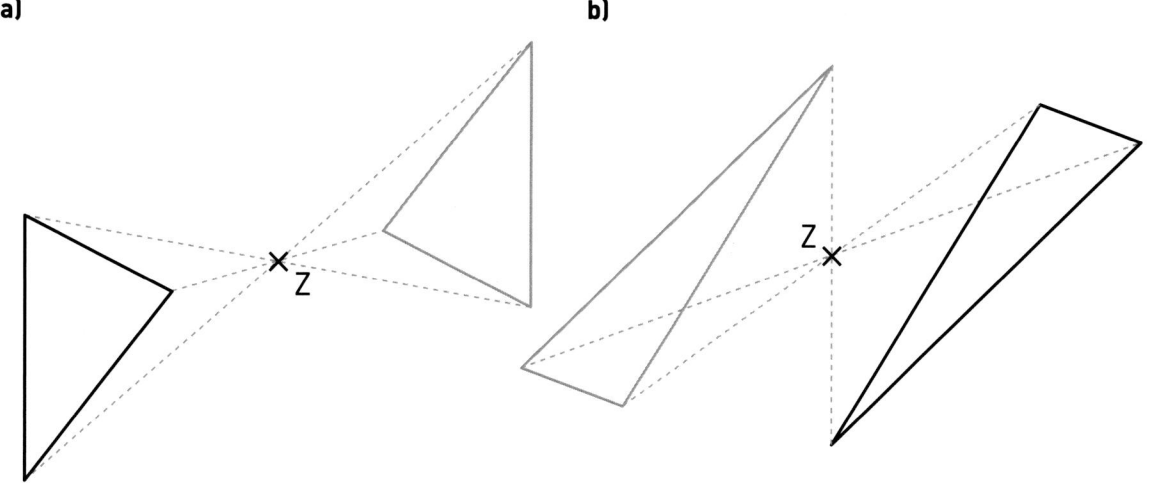

30   **24.** Hier die richtigen Abbildungen.

a)   b)

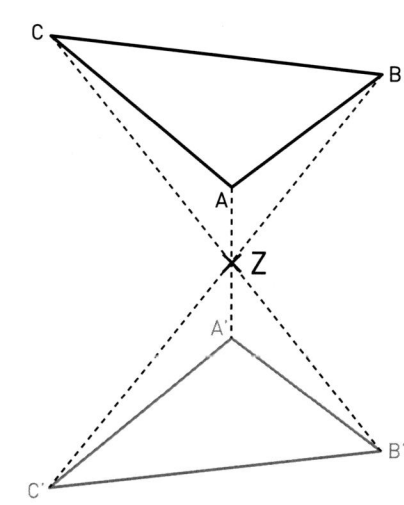   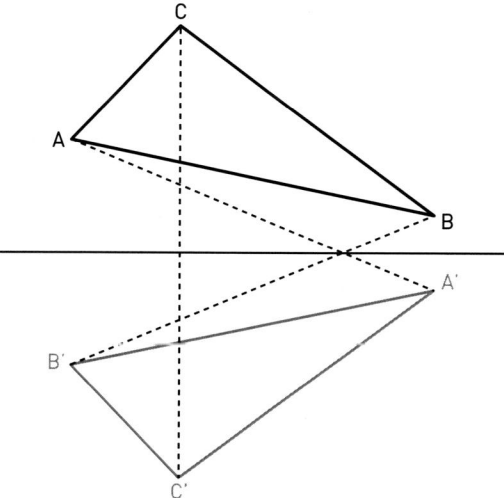

Tobias hat bei b) falsch gespiegelt. Die Figur ist nicht punktsymmetrisch (es gibt keinen Punkt Z). Tobias hat sich hier vertan, die Figur ist achsensymmetrisch.

30   **25.** (1)   (2)   (3)   (4)

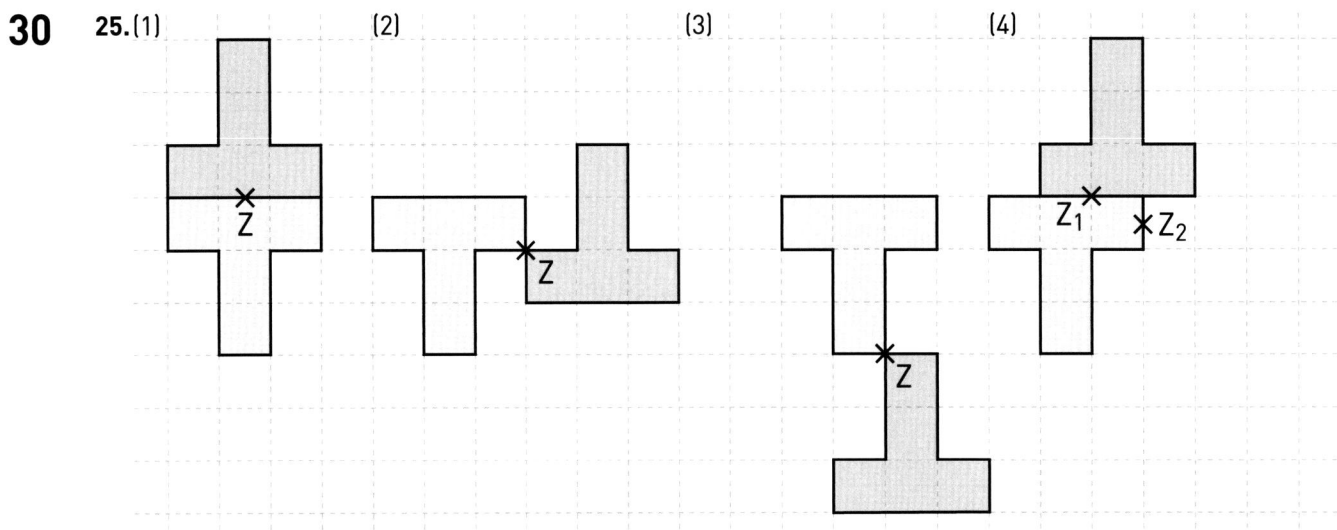

Spiegelfigur ist:
(1) blau   **(2)** blau   **(3)** blau   **(4)** blau und gelb

26. a) (1)   **(2)** z. B. Figur (2)   **(3)**
                                   aus Aufgabe 26

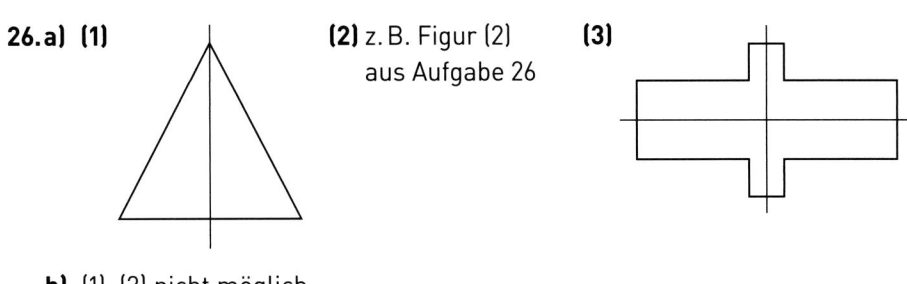

b) (1), (2) nicht möglich

3.6   Verschiebungen und ihre Eigenschaften

31   **27.**

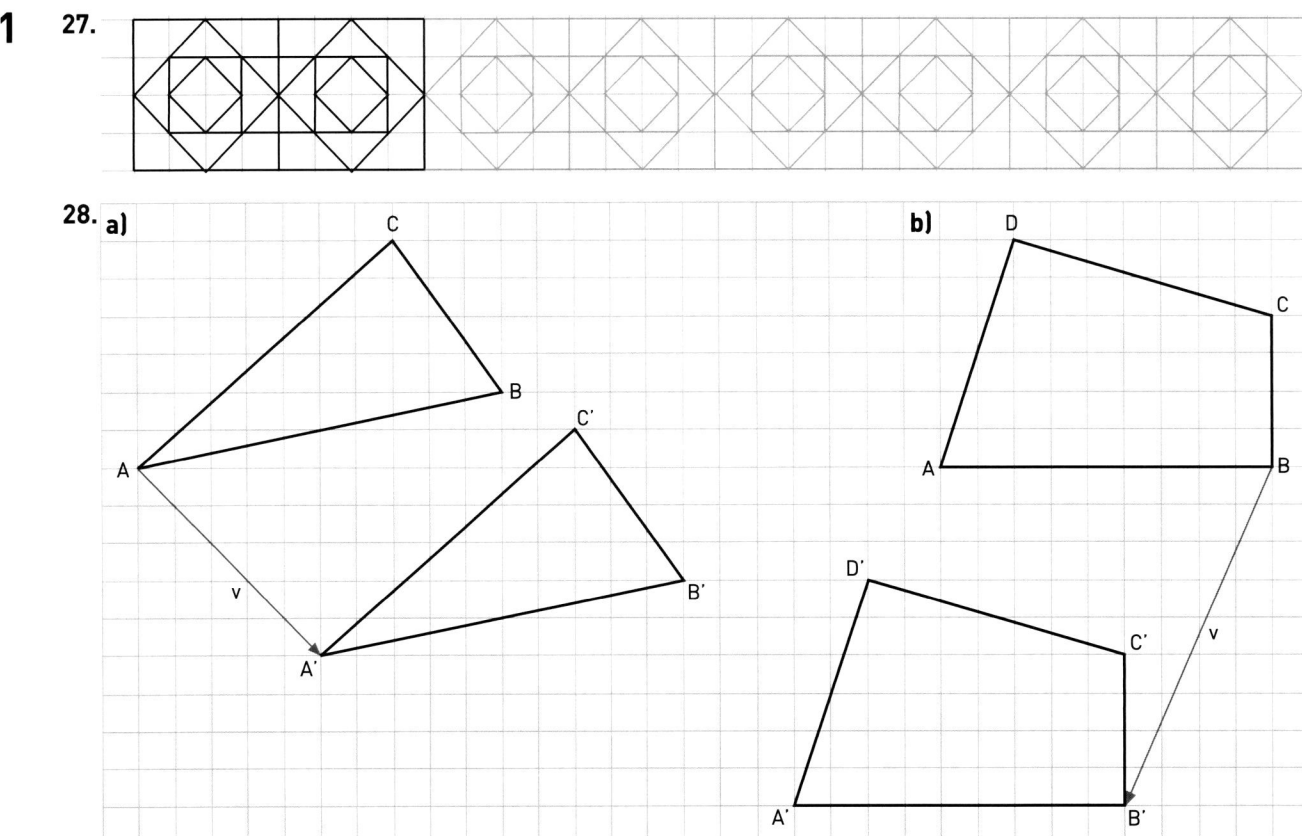

28. a)   **b)**

31 **29. a)** **b)**

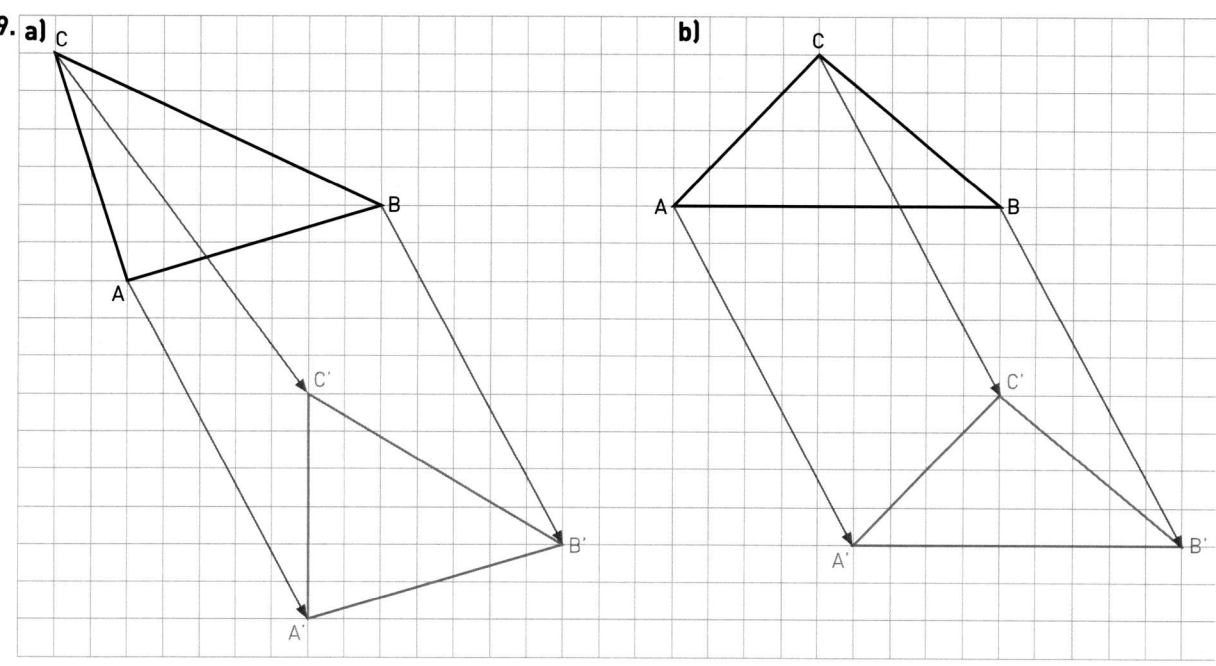

In Teilaufgabe a) wurde Punkt C falsch verschoben. Dies erkennt man daran, dass die Verschiebungspfeile nicht parallel zu einander verlaufen.

3.7 Drehungen – Drehsymmetrie

32 **30.**

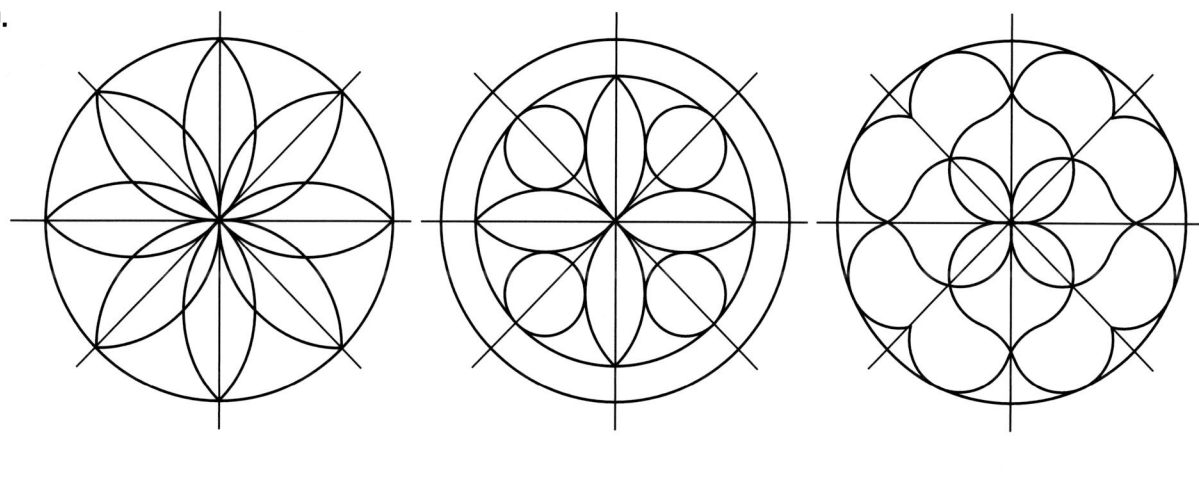

31. a) **b)**

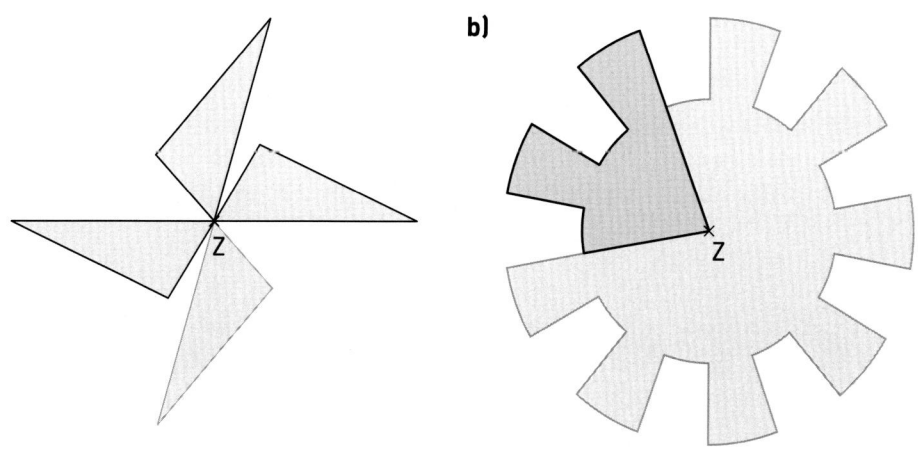

32   **32.a)**   **b)**

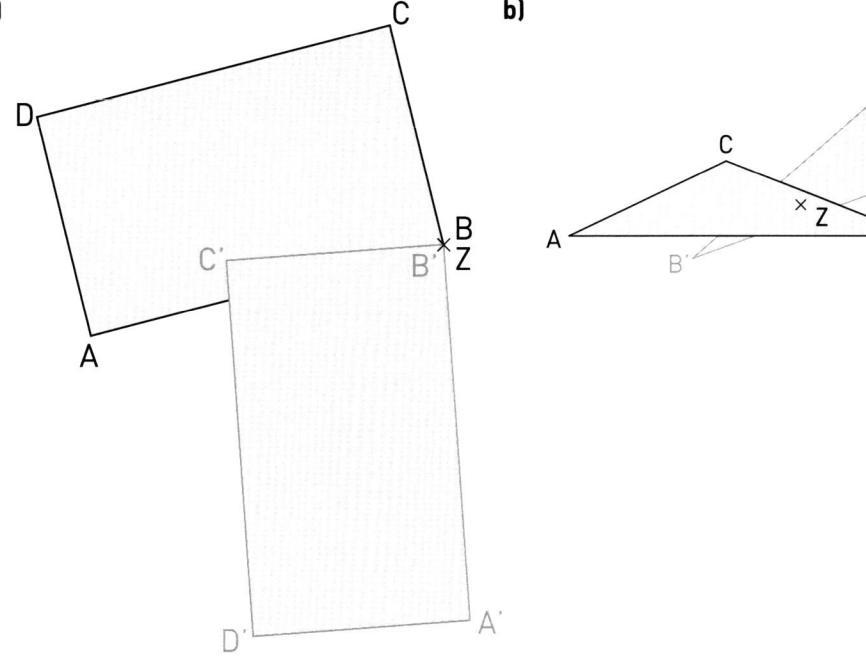

Bist du kompetent in Umgang mit Raum und Form Winkel und Bewegung?

33.a)

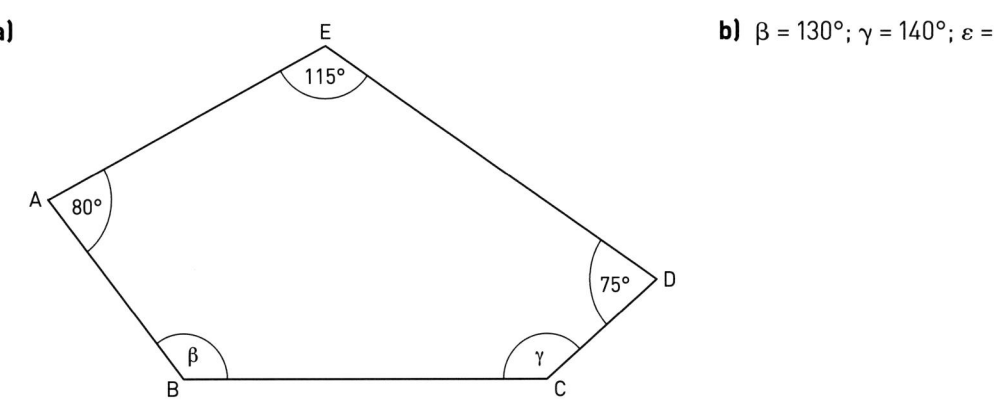

b) β = 130°; γ = 140°; ε = 115°

34. Abbildung a) ist durch eine Verschiebung entstanden, Abbildung d) durch eine Punktspiegelung. Die Abbildungen b) und c) sind weder durch Verschiebung noch durch Spiegelung entstanden.

4.1 Vervielfachen und Teilen von Brüchen

4.1.1 Vervielfachen von Brüchen

34 **1. a) (1)** $\frac{1}{8} + \frac{1}{8} + \frac{1}{8} = \frac{3}{8}$ oder $\frac{1}{8} \cdot 3 = \frac{3}{8}$ (jeweils drei Teile müssen gefärbt sein)

 b) (2) $\frac{3}{5} + \frac{3}{5} = \frac{6}{5} = 1\frac{1}{5}$ oder $\frac{3}{5} \cdot 2 = \frac{6}{5} = 1\frac{1}{5}$ (je ein ganzer Kreis und ein weiterer Teil müssen gefärbt sein)

2. a)
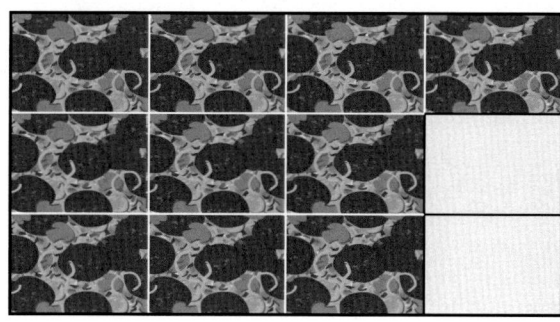

b)
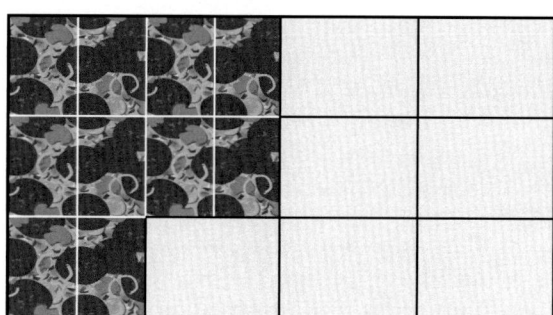

$\frac{5}{12} \cdot 2 = \frac{10}{12}$

$\frac{5}{12} \cdot \frac{2}{2} = \frac{10}{24}$

4.1.2 Teilen von Brüchen

3. a) $\frac{4}{5} : 2 = \frac{2}{5}$

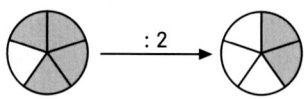

b) $\frac{3}{4} : 2 = \frac{3}{8}$

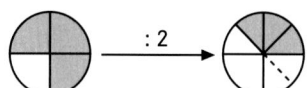

c) $\frac{1}{2} : 4 = \frac{1}{8}$

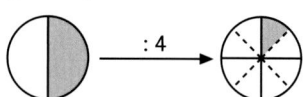

d) $\frac{3}{2} : 2 = \frac{3}{4}$

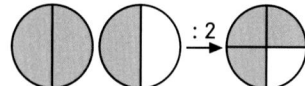

e) $1\frac{3}{5} : 2 = \frac{8}{10} = \frac{4}{5}$

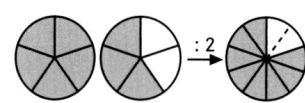

f) $\frac{1}{4} : 3 = \frac{1}{12}$

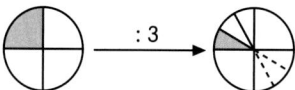

4.2 Multiplizieren von Brüchen

35 **4. a)** $\frac{2}{3}$ von $\frac{1}{5} = \frac{2}{15}$

$\frac{2}{3} \cdot \frac{1}{5} = \frac{2}{15}$

b) $\frac{4}{6}$ von $\frac{1}{8} = \frac{4}{48} = \frac{1}{12}$

$\frac{4}{6} \cdot \frac{1}{8} = \frac{4}{48} = \frac{1}{12}$

c) $\frac{2}{6}$ von $\frac{3}{4} = \frac{6}{24} = \frac{1}{4}$ oder $\frac{1}{3}$ von $\frac{3}{4} = \frac{3}{12} = \frac{1}{4}$

$\frac{2}{6} \cdot \frac{3}{4} = \frac{6}{24} = \frac{1}{4}$ oder $\frac{1}{3} \cdot \frac{3}{4} = \frac{3}{12} = \frac{1}{4}$

5. a) $\frac{1}{2}$ von $\frac{2}{3} = \frac{2}{6} = \frac{1}{3}$

$\frac{1}{2} \cdot \frac{2}{3} = \frac{2}{6} = \frac{1}{3}$

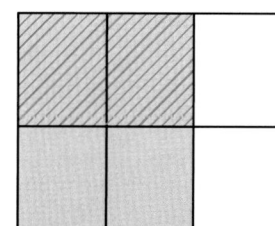

b) $\frac{2}{3}$ von $\frac{1}{2} = \frac{2}{6} = \frac{1}{3}$

$\frac{2}{3} \cdot \frac{1}{2} = \frac{2}{6} = \frac{1}{3}$

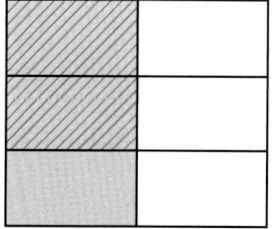

c) $\frac{3}{4}$ von $\frac{5}{6} = \frac{15}{24} = \frac{5}{8}$

$\frac{3}{4} \cdot \frac{5}{6} = \frac{15}{24} = \frac{5}{8}$

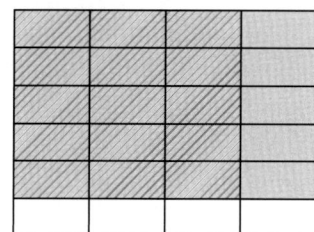

d) $\frac{5}{6}$ von $\frac{3}{4} = \frac{15}{24} = \frac{5}{8}$

$\frac{5}{6} \cdot \frac{3}{4} = \frac{15}{24} = \frac{5}{8}$

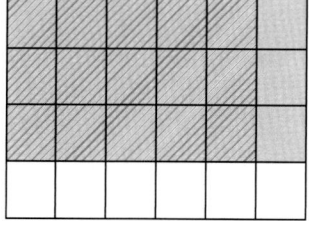

35 6. a) $\frac{1}{3} \cdot \frac{1}{4} \cdot \frac{1}{2} = \frac{1}{24}$

b) $\frac{2}{3} \cdot \frac{3}{4} \cdot \frac{1}{2} = \frac{6}{24} = \frac{1}{4}$

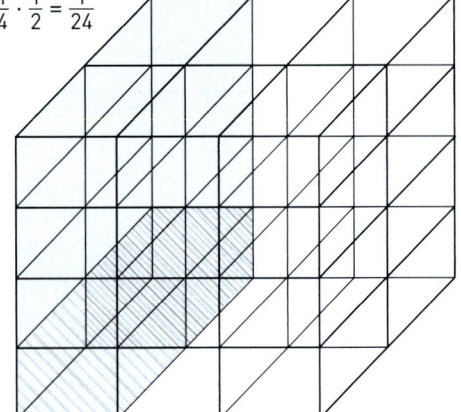
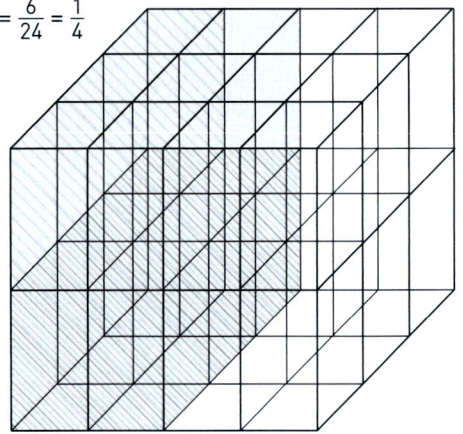

36 7.

Aufgabe	Ergebnis größer als 1. Faktor	Rechnung
$\frac{7}{8} \cdot \frac{24}{56}$	nein	$\frac{1\!\!\!/7}{1\!\!\!/8} \cdot \frac{24\!\!\!/^3}{56\!\!\!/_8} = \frac{3}{8}$
$\frac{17}{15} \cdot \frac{36}{51}$	nein	$\frac{1\!\!\!/7}{5\!\!\!/5} \cdot \frac{36\!\!\!/^{12\,4}}{51\!\!\!/_{3\,1}} = \frac{4}{5}$
$\frac{3}{39} \cdot \frac{26}{11}$	ja	$\frac{1\!\!\!/3}{1\!\!\!/39} \cdot \frac{26\!\!\!/^2}{11} = \frac{2}{11}$
$2\frac{8}{18} \cdot 1\frac{1}{4}$	ja	$2\frac{8}{18} \cdot 1\frac{1}{4} = \frac{44\!\!\!/^{11}}{18} \cdot \frac{5}{4\!\!\!/_1} = \frac{55}{18} = 3\frac{1}{18}$

8. a)

```
              3/4
          1        3/4
      2/3     3/2      1/2
  14/9    3/7     7/2      1/7
```

b)

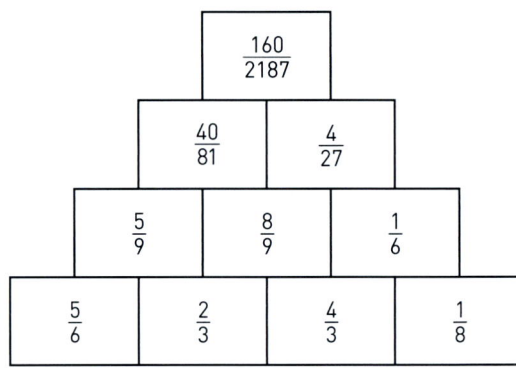

```
                  160/2187
              40/81        4/27
          5/9      8/9        1/6
      5/6     2/3     4/3        1/8
```

9. a) Multipliziere ich zwei Brüche, die jeweils kleiner sind als 2, so ist das Ergebnis kleiner als ____4____.

b) Multipliziere ich zwei Brüche, die jeweils größer als 1 sind, so ist das Ergebnis __größer__ als 1.

c) Addiere ich zwei Brüche, die jeweils größer als 1 sind, so ist das Ergebnis __größer__ als 1.

d) Addiere ich zwei Brüche, die jeweils kleiner als 3 sind, so ist das Ergebnis __kleiner__ als 6.

e) Potenziere ich einen Bruch, der kleiner als 1 ist, so ist das Ergebnis __kleiner__ als 1.

10. a) $\left(\frac{2}{3}\right)^2 = \frac{4}{9}$ c) $\left(\frac{2}{5}\right)^3 = \frac{8}{125}$ e) $\left(1\frac{1}{2}\right)^2 = 2\frac{1}{4}$ g) $\left(\frac{4}{6}\right)^1 = \frac{2}{3}$

b) $\left(\frac{1}{4}\right)^3 = \frac{1}{64}$ d) $\left(\frac{3}{4}\right)^1 = \frac{3}{4}$ f) $0^5 = 0$ h) $\left(\frac{3}{2}\right)^3 = \frac{27}{8}$

4.3 Dividieren von Brüchen

37

11. a)

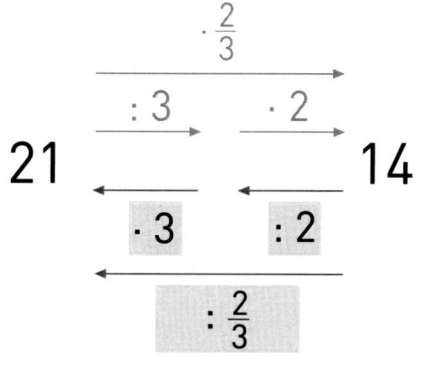

Aufgabe: $14 : \frac{2}{3} = 21$

b)

Aufgabe: $\frac{6}{5} : \frac{3}{4} = \frac{8}{5}$

12.

x	$\frac{5}{4}$	$\frac{11}{12}$	$\frac{6}{1} = 6$	$\frac{7}{7} = 1$	$\frac{1}{3}$	$\frac{10}{9}$	$\frac{0}{8} = 0$
Kehrwert von x	$\frac{4}{5}$	$\frac{12}{11}$	$\frac{1}{6}$	$\frac{7}{7} = 1$	$3 = \frac{3}{1}$	$\frac{9}{10}$	–

Der Kehrwert von $\frac{0}{8}$ ist nicht bildbar, da eine Division durch 0 mathematisch nicht definiert ist.

13. a)

:	$\frac{2}{3}$	$\frac{3}{4}$	$\frac{4}{8}$	1
$\frac{1}{2}$	$\frac{3}{4}$	$\frac{2}{3}$	1	$\frac{1}{2}$
$\frac{5}{3}$	$2,5$	$\frac{20}{9}$	$\frac{10}{3}$	$\frac{5}{3}$
$\frac{5}{6}$	$\frac{5}{4}$	$\frac{10}{9}$	$\frac{5}{3}$	$\frac{5}{6}$
$\frac{4}{3}$	$\frac{2}{1}$	$\frac{16}{9}$	$\frac{8}{3}$	$\frac{4}{3}$
$\frac{3}{5}$	$\frac{9}{10}$	$\frac{4}{5}$	$\frac{6}{5}$	$\frac{3}{5}$
$\frac{1}{6}$	$\frac{1}{4}$	$\frac{2}{9}$	$\frac{1}{3}$	$\frac{1}{6}$

b)

$$\frac{1}{81}$$

$$\frac{4}{27} \qquad \frac{1}{12}$$

$$\frac{4}{9} \qquad \frac{1}{3} \qquad \frac{1}{4}$$

$$\frac{2}{3} \qquad \frac{2}{3} \qquad \frac{1}{2} \qquad \frac{1}{2}$$

14.

Aufgabe	Der Quotient wird größer sein als der Dividend. Kreuze an.	Rechnung
$\frac{3}{11} : \frac{9}{22}$	✖ Richtig ☐ Falsch	$\frac{3}{11} \cdot \frac{22}{9} = \frac{6}{9} = \frac{2}{3}$
$\frac{9}{5} : \frac{27}{25}$	☐ Richtig ✖ Falsch	$\frac{9}{5} \cdot \frac{25}{27} = \frac{5}{3}$
$\frac{28}{9} : \frac{7}{12}$	✖ Richtig ☐ Falsch	$\frac{28}{9} \cdot \frac{12}{7} = \frac{16}{3}$
$\frac{6}{7} : 1\frac{1}{2}$	☐ Richtig ✖ Falsch	$\frac{6}{7} : \frac{3}{2} = \frac{6}{7} \cdot \frac{2}{3} = \frac{4}{7}$

38 **15.**

| $\frac{9}{50}$ | $\xleftarrow{\cdot \frac{3}{10}}$ | $\frac{3}{5}$ | $\xleftarrow{\cdot \frac{2}{10}}$ | 3 | $\xleftarrow{\cdot \frac{3}{5}}$ | 5 | $\xleftarrow{: \frac{1}{5}}$ | 1 |

4.4 Multiplizieren und Dividieren von Dezimalbrüchen mit Stufenzahlen

16.

$0,4 \cdot 100 = 40$	$8,1 : 10 = 0,81$	$3145,27 : 100 = 31,4527$
$0,34 \cdot 10 = 3,4$	$513,77 : 1000 = 0,51377$	$6,88 \cdot 10 = 68,8$
$1,345 \cdot 1000 = 1345$	$3,7 : 100 = 0,037$	$1,64 \cdot 100 = 164$
$32,742 \cdot 10 = 327,42$	$0,62 : 100 = 0,0062$	$13,245 : 100 = 0,13245$
$0,07 \cdot 1000 = 70$	$0,0289 : 10 = 0,00289$	$5,55 : 100 = 0,0555$

Lösung:

1	2	3	4	5	6	7	8	9	10	11	12	13	14	15
V	E	R	T	R	E	T	U	N	G	S	P	L	A	N

4.5 Multiplizieren von Dezimalbrüchen

17. a) $0,47 \cdot 1,3$ **b)** $1,58 \cdot 0,9$ **c)** $1,7 \cdot 3,1$ **d)** $2,5 \cdot 1,8$

| $\approx$ | 0,5 | $\cdot$ | 1,3 | $\approx$ | 1,5 | $\cdot$ | 1 | $\approx$ | 1,7 | $\cdot$ | 3 | $\approx$ | 2,5 | $\cdot$ | 2 |

| $=$ | 0,65 | | | $=$ | 1,5 | | | $=$ | 5,1 | | | $=$ | 5 |

```
0,4 7 · 1,3        1,5 8 · 0,9        1,7 · 3,1         2,5 · 1,8
    4 7 0            1 ,4 2 2           5 1 0             2 5 0
    1 4 1                               1 7               2 0 0
  0 ,6 1 1                            5 ,2 7             4 ,5 0
```

18. $0,354 \cdot 5,46 = 0,546 \cdot 3,54$ $35,4 \cdot 54,6 = 3,54 \cdot 546$ $2,41 \cdot 0,242 = 0,241 \cdot 2,42$

$74,28 \cdot 0,0152 = 7,428 = 0,152$ $0,7428 \cdot 15,2 = 7,428 \cdot 1,52$ $2,41 \cdot 2,42 = 0,241 \cdot 24,2$

4.6 Dividieren von Dezimalbrüchen

39 **4.6.1 Dividieren von Dezimalbrüchen durch natürliche Zahlen**

19. a)

```
7,9 5 : 5 = 1,5 9
5
2 9
2 5
  4 5
  4 5
    0
```

b)

```
2 4,3 : 6 = 4,0 5
2 4
  0 3
    0
    3 0
    3 0
      0
```

c)

```
1 8,1 4 : 4 = 4,5 3 5
1 6
  2 1
  2 0
    1 4
    1 2
      2 0
      2 0
        0
```

4.6.2 Dividieren von Dezimalbrüchen durch Dezimalbrüche

39 **20.**

Aufgabe	19,1193 : 1,01	6,2371 : 0,97
Schätzung	Quotient größer als Dividend?	Quotient größer als Dividend? ....
Rechnung	$\begin{array}{l}1\,9,1\,1\,9\,3:1,0\,1=1\,8,9\,3\\ 1\,0\,1\\ \quad 9\,0\,1\\ \quad 8\,0\,8\\ \qquad 9\,3\,9\\ \qquad 9\,0\,9\\ \qquad\quad 3\,0\,3\\ \qquad\quad 3\,0\,3\\ \qquad\qquad 0\end{array}$	$\begin{array}{l}6,2\,3\,7\,1:0,9\,7=6,4\,3\\ 5\,8\,2\\ \quad 4\,1\,7\\ \quad 3\,8\,8\\ \qquad 2\,9\,1\\ \qquad 2\,9\,1\\ \qquad\quad 0\end{array}$
Ergebnis	..........18,93..........	..........6,43..........

21. Er würde ca. 38,94 ℓ SuperPlus erhalten und ca. 40,03 ℓ Super.

40 **22.** 1,543 : 1,874 = 1543 : 1874   0,3501 : 14,97 = 35,01 : 1497   5,641 : 12,85 = 0,5641 : 1,285

Die anderen Aufgaben haben keine passenden Partner.

4.7   Abbrechende und periodische Dezimalbrüche

4.7.1   Umformen von Brüchen in Dezimalbrüche

23. $\frac{8}{10} = 0{,}8;$ $\frac{3}{5} = 0{,}3;$ $\frac{9}{75} = 0{,}12;$ $\frac{23}{500} = 0{,}046;$ $\frac{52}{40} = 1{,}3$

$$1\,4:1\,8=0,7\,7\ldots=0,\overline{7}$$
$$\begin{array}{l}0\\ 1\,4\,0\\ 1\,2\,6\\ \quad 1\,4\,0\\ \quad 1\,2\,6\\ \qquad 1\,4\,0\\ \qquad \vdots\end{array}$$

$$6:1\,1=0,5\,4\,5\ldots$$
$$\begin{array}{l}0\\ 6\,0\qquad =0,\overline{5\,4}\\ 5\,5\\ \quad 5\,0\\ \quad 4\,4\\ \qquad 6\,0\\ \qquad 5\,5\\ \qquad\quad 5\,0\\ \qquad\quad \vdots\end{array}$$

$$5:1\,4=0,3\,5\,7\,1\,4\,2\,8\,3\ldots$$
$$=0,\overline{3\,5\,7\,1\,4\,2\,8}$$
$$\begin{array}{l}0\\ 5\,0\\ 4\,2\\ \quad 8\,0\\ \quad 7\,0\\ \qquad 1\,0\,0\\ \qquad 9\,8\\ \qquad\quad 2\,0\\ \qquad\quad 1\,4\\ \qquad\qquad 6\,0\\ \qquad\qquad 5\,6\\ \qquad\qquad\quad 4\,0\\ \qquad\qquad\quad 2\,8\\ \qquad\qquad\qquad 1\,2\,0\\ \qquad\qquad\qquad 1\,1\,2\\ \qquad\qquad\qquad\quad 8\,0\\ \qquad\qquad\qquad\quad 7\,0\\ \qquad\qquad\qquad\qquad 1\,0\,0\\ \qquad\qquad\qquad\qquad \vdots\end{array}$$

40 **24.** Setze eines der Zeichen <, > oder = ein.

$0,\overline{3}$ **<** $0,34$	$0,\overline{36}$ **<** $0,37$	$1,\overline{1}$ **>** $1\frac{1}{10}$	$0,\overline{6}$ **>** $\frac{2}{6}$
$0,3\overline{4}$ **>** $\frac{1}{3}$	$0,\overline{8}$ **>** $0,875$	$9\frac{2}{5}$ **>** $9,3\overline{5}$	$\frac{8}{20}$ **<** $0,4\overline{1}$

4.7.2 Umformen von Dezimalbrüchen in Brüche

41 **25.**

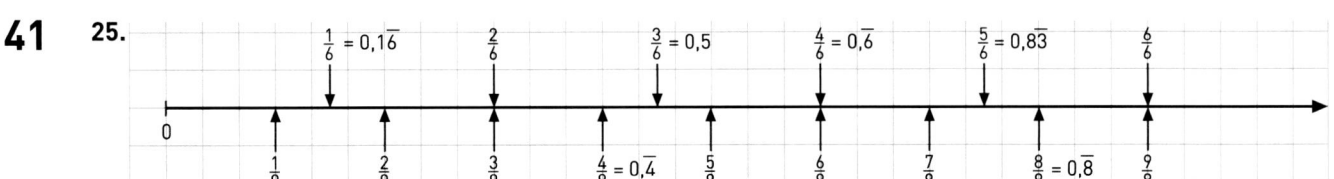

4.8   Rechnen mit Brüchen und Dezimalbrüchen

26. $\frac{3}{4} + \frac{1}{3} = \frac{13}{12}$ $\qquad$ $\frac{3}{4} \cdot \frac{1}{3} = \frac{1}{4}$ $\qquad$ $\frac{3}{4} - \frac{1}{3} = \frac{5}{12}$ $\qquad$ $\frac{3}{4} : \frac{1}{3} = \frac{9}{4} = 2,25$

$\frac{3}{4} + 0,2 = 0,95$ $\qquad$ $\frac{3}{4} \cdot 0,2 = \frac{3}{20}$ $\qquad$ $\frac{3}{4} - 0,2 = 0,55 = \frac{11}{20}$ $\qquad$ $\frac{3}{4} : 0,2 = \frac{15}{4} = 3,75$

$0,5 + \frac{1}{3} = \frac{5}{6}$ $\qquad$ $0,5 \cdot \frac{1}{3} = \frac{1}{6}$ $\qquad$ $0,5 - \frac{1}{3} = \frac{1}{6}$ $\qquad$ $0,5 : \frac{1}{3} = \frac{3}{2} = 1,5$

$0,5 + 0,2 = 0,7$ $\qquad$ $0,5 \cdot 0,2 = 0,1$ $\qquad$ $0,5 - 0,2 = 0,3$ $\qquad$ $0,5 : 0,2 = \frac{5}{2} = 2,5$

27. Nein, das ist nicht möglich, denn für die einfache Menge benötigt Thies
$\frac{1}{4}\ell + 0,12\,\ell + 0,85\,\ell + 0,7\,\ell + \frac{3}{8}\ell = 2,295\,\ell$, für die doppelte Menge des Rezepts braucht er also $4,49\,\ell$.

4.9   Vermischte Übungen

42 **28.** **a)**   **b)**

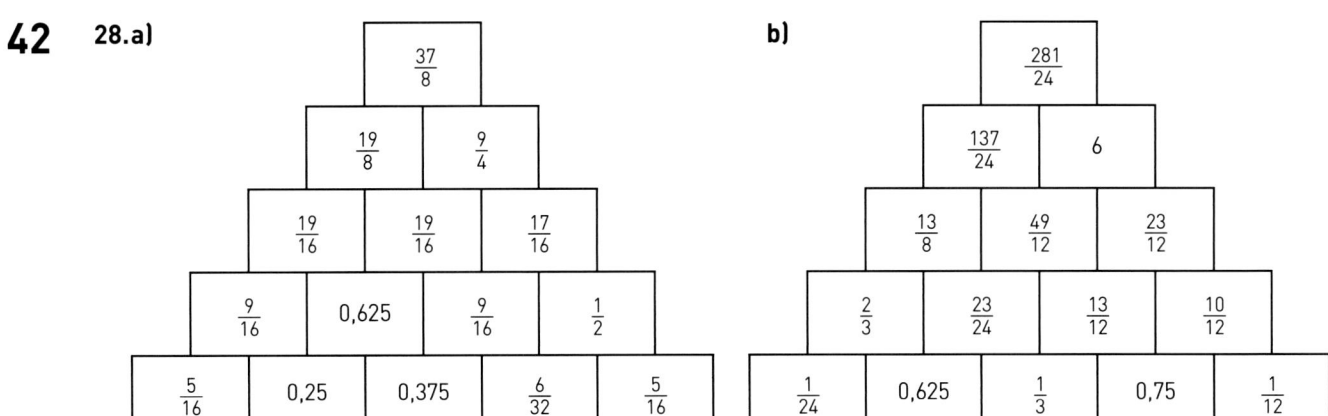

29.

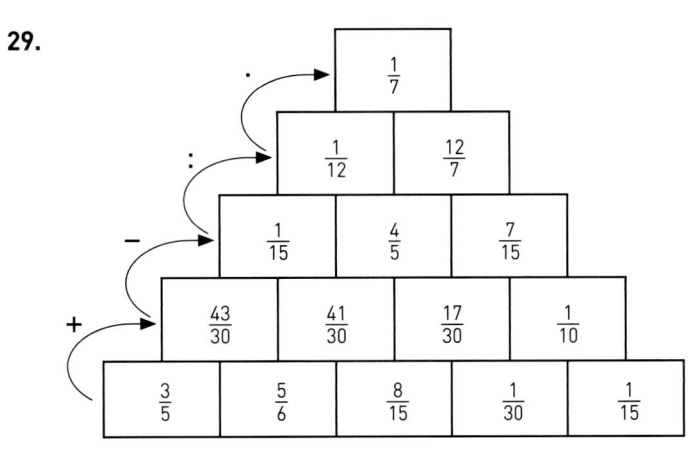

42 **30.** gesuchte Zahlen: $\frac{1}{2} = 0,5$; $0,24 = \frac{6}{25}$; $\frac{4}{3}$; $0,18 = \frac{9}{50}$; $0,11$; $1,08 = \frac{27}{25}$; $0,625 = \frac{5}{8}$

4.10 Berechnen von Termen

43 **31.**

Term	$\frac{3}{4} \cdot \left(\frac{17}{10} + 0,8 \right)$	$(0,64 + 1,46) \cdot \left(\frac{34}{30} - \frac{8}{15} \right)$
Text	Ich multipliziere die Summe aus $\frac{17}{10}$ und 0,8 mit $\frac{3}{4}$.	Ich multipliziere die Summe aus 0,64 und 1,46 mit der Differenz aus $\frac{34}{30}$ und $\frac{8}{15}$
Rechenbaum		
Term	$(0,35 + 0,45) \cdot 3,25 : 1,3$	$\left(1,4 + \frac{14}{5} \right) \cdot 1,1$
Text	Ich multipliziere die Summe aus 0,35 und 0,45 mit 3,25 und dividiere das Ergebnis durch 1,3.	Ich multipliziere die Summe aus 1,4 und $\frac{14}{5}$ mit 1,1.
Rechenbaum		

4.11 Rechengesetze für Multiplikation und Division

4.11.1 Kommutativgesetz und Assoziativgesetz der Multiplikation

44 **32.**

Aufgabe	Welcher Weg scheint dir am günstigsten zu sein?		Deine Rechnung
$\frac{5}{11} \cdot \frac{28}{27} \cdot \frac{9}{7}$		$\frac{5}{11} \cdot \frac{28}{27} \cdot \frac{9}{7}$	$\frac{5}{11} \cdot \left(\frac{28}{27} \cdot \frac{9}{7}\right) = \frac{5}{11} \cdot \frac{4}{3} = \frac{20}{33}$
		$\frac{5}{11} \cdot \frac{9}{7} \cdot \frac{28}{27}$	
	X	$\frac{5}{11} \cdot \left(\frac{28}{27} \cdot \frac{9}{7}\right)$	
$\frac{3}{8} \cdot \frac{5}{13} \cdot \frac{4}{9}$		$\frac{3}{8} \cdot \frac{5}{13} \cdot \frac{4}{9}$	$\frac{3}{8} \cdot \frac{4}{9} \cdot \frac{5}{13} = \frac{1}{6} \cdot \frac{5}{13} = \frac{5}{78}$
	X	$\frac{3}{8} \cdot \frac{4}{9} \cdot \frac{5}{13}$	
		$\frac{3}{8} \cdot \left(\frac{4}{9} \cdot \frac{5}{13}\right)$	
$\frac{18}{35} \cdot \frac{7}{27} \cdot \frac{11}{12}$	X	$\frac{18}{35} \cdot \frac{7}{27} \cdot \frac{11}{12}$	$\frac{18}{35} \cdot \frac{7}{27} \cdot \frac{11}{12} = \frac{2}{5} \cdot \frac{1}{3} \cdot \frac{1}{12} = \frac{2}{15} \cdot \frac{11}{12} = \frac{11}{90}$
		$\frac{18}{35} \cdot \left(\frac{7}{27} \cdot \frac{11}{12}\right)$	
		$\frac{18}{35} \cdot \frac{11}{12} \cdot \frac{7}{27}$	

4.11.2 Distributivgesetz

33. 1. Möglichkeit: $9 \cdot (0,95\,€ + 0,25\,€) = 9 \cdot 1,20\,€ = 10,80\,€$

2. Möglichkeit: $9 \cdot 0,95\,€ + 9 \cdot 0,25\,€ = 8,55\,€ + 2,25\,€ = 10,80\,€$

Die 1. Möglichkeit ist günstiger.

4.12 Vergleich der Zahlbereiche der natürlichen Zahlen und der gebrochenen Zahlen

34. Die Aussagen 1, 2, 3, 6 und 7 sind wahr.

Bist du kompetent im Argumentieren und Kommunizieren Rechenwege analysieren ?

45 **35. a)** ist nicht zulässig,

Beispiel: $\frac{3}{5} \cdot \frac{4}{7} = \frac{12}{35} \neq 12 = \frac{420}{35}$ „=" $\frac{21}{35} \cdot \frac{20}{35} = \frac{3}{5} \cdot \frac{4}{7}$

b) ist unzulässig:

Beispiel: $\frac{1}{3} + \frac{1}{2} = \frac{5}{6} \neq \frac{2}{5} = \frac{1+1}{3+2}$ „=" $\frac{1}{3} + \frac{1}{2}$

36. a) Es wurde vergessen, die imaginäre 1 des ersten Produkts mit in die Klammern zu nehmen.

b) $4 \cdot \frac{1}{3} + \frac{4}{5} \cdot \frac{1}{3} = 4 \cdot \left(\frac{1}{3} + \frac{1}{15}\right)$

37. Notwendig ist diese Vereinbarung für Subtraktion und Division.

Beispiel: $3 : 9 \neq 9 : 3$

5.1 Absolute und relative Häufigkeiten und deren Darstellung

46

1. a)
1. Fehler: Die Pfeilspitze an der Achse fehlt.
2. Fehler: Beschriftung der x-Achse fehlt.
3. Fehler: Die Säule für Auto ist zu breit.
4. Fehler: Die Säule für Zug ist zu niedrig.
5. Fehler: „zu Fuß" fehlt an der rechten Säule.
6. Fehler: An der Hochachse steht 5 statt 6.

b)

	Absolute Häufigkeit	Relative Häufigkeit	Prozent (%)
Auto	1	$\frac{1}{25}$	4 %
Bus	12	$\frac{12}{25}$	48 %
Zug	4	$\frac{4}{25}$	16 %
zu Fuß	8	$\frac{8}{25}$	32 %
gesamt	25	$\frac{25}{25} = 1$	100 %

c)

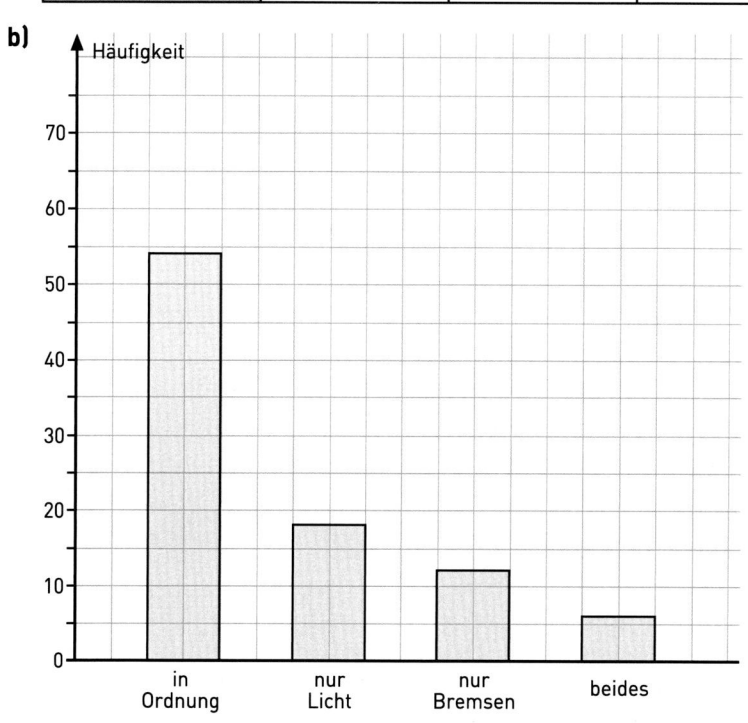

47

2. a)

Ergebnis	in Ordnung	nur Licht defekt	nur Bremsen defekt	beides defekt	Summe
absolute Häufigkeit	54	18	12	6	90
relative Häufigkeit	$\frac{54}{90} = \frac{3}{5}$	$\frac{18}{90} = \frac{1}{5}$	$\frac{12}{90} = \frac{2}{15}$	$\frac{6}{90} = \frac{1}{15}$	1
relative Häufigkeit in Prozent	60 %	20 %	$13\frac{1}{3}$ %	$6\frac{2}{3}$ %	100 %

b)

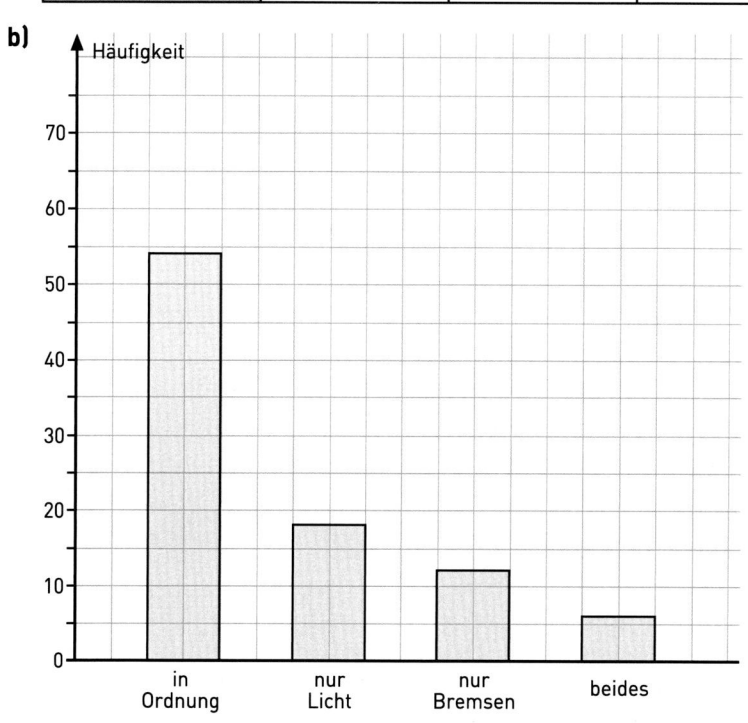

5.2 Bildliche Darstellungen von Daten und deren Wirkungen auf einen Betrachter

48 **3. a)** Der Anstieg wird in der räumlichen Darstellung mit den Zelten stärker hervorgehoben.

b)

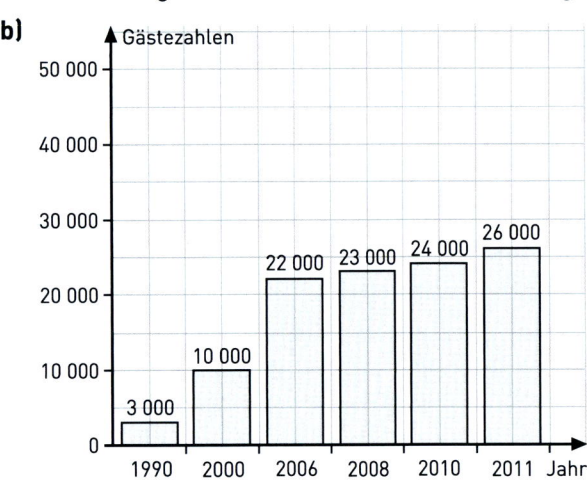

c) Im Säulendiagramm zum Artikel beginnt die Hochachse nicht bei 0.

d) Zum Beispiel: 1990: Zelt 2   2000: Zelt 3   2010: Zelt 5

5.3 Klasseneinteilung bei Stichproben

49 **4.**

Gewicht (in g)	Anzahl
50–54	1
55–59	4
60–64	6
65–69	4
70–74	3

5. a)

Alter der Teilnehmer	Juniormitglieder (bis 18 Jahre)	Mitglieder (über 18 bis 45 Jahre)	Plusmitglieder (über 45 bis 65 Jahre)	Seniormitglieder (über 65 Jahre)	Summe
Anteil als Prozentsatz	30 %	30 %	30 %	10 %	100 %
Anteil als Bruch	$\frac{3}{10}$	$\frac{3}{10}$	$\frac{3}{10}$	$\frac{1}{10}$	1
Teilnehmer insgesamt	72	72	72	24	240
Mittelpunktswinkel in einem Kreisdiagramm	108°	108°	108°	108°	360°

b)

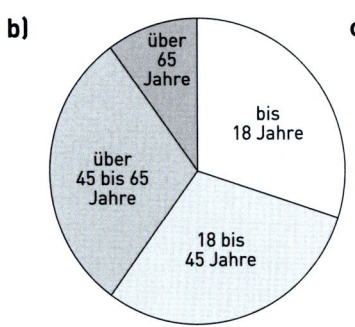

c) (1) falsch   **(2)** falsch   **(3)** falsch

5.4 Arithmetisches Mittel – Spannweite

50 **6. a)** Arithmetisches Mittel: 183,33 €

b)

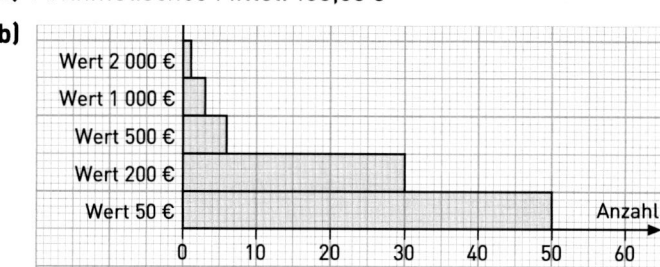

7. a) nach dem dritten oder viertel Mal

b) –

c) –

d) –

5.5 Median

51 **8. a)** ☺ oder ☹   **c)** gut

b) 9,5   **d)** 20 €

9. VSI oder SI

10. a) arithm. Mittel: 8,6 ℓ
Median: 8,4 ℓ

b) (1) Der Mittelwert der beiden neuen Angaben muss auch 8,6 betragen.
(2) Eine Angabe muss größer sein als der Median, eine kleiner.

Bist du kompetent in Umgang mit Darstellungen und Werkzeugen Tabellenkalkulationen ?

52 **11. a)** Wie viele Kinder der 6a für Essen 1 gestimmt haben.

b) Die relative Häufigkeit der einzelnen Vorschläge.

c) Jeweils 26.

d) 9

e) Essen 1: türkis; Essen 2: rot; Essen 3: grün; Essen 4: lila; keins: hellblau.

f) Für die 6a stimmt das, für die 6c nicht. Insgesamt ist Essen 3 am beliebtesten.

g) Das Diagramm liefert darüber keine Aussagen.

h) Weil die Auswertung für beide Klassen separat erfolgt ist. Es wäre besser, ein Kreisdiagramm für beide Klassen zu haben.

i) Das Kreisdiagramm drückt die Anteile deutlicher aus. Prinzipiell ist die Verwendung eines Streifendiagramms aber auch möglich.